Les Pyramides d'Égypte

Manuel Minguez

LES PYRAMIDES D'ÉGYPTE

Le secret de leur construction

Adaptation et dessins
de Philippe Bully

TALLANDIER
Paris

Pour être régulièrement informé, sans aucun engagement de votre part, des parutions des livres d'histoire des éditions Tallandier, il vous suffit d'envoyer vos nom et adresse à :

Éditions Tallandier (Livres d'histoire), 61, rue de la Tombe-Issoire, 75677 Paris Cedex 14.

Remerciements

Je remercie tout particulièrement ceux qui m'ont assisté dans l'élaboration de cet ouvrage et m'ont permis de réaliser les expériences indispensables à mes démonstrations.

Je dédie cet ouvrage à mon épouse, à Françoise, à Michel, à Eric, mes enfants, au docteur Charleux, à Monsieur Chabert, et à tous mes amis et collègues qui m'ont aidé de leur présence et de leur soutien.

Avant-propos

Sur un tombeau de la XIIe dynastie — celui de Djouti Hetep à Deir el Bercheh — on peut voir un colosse d'albâtre de quelque 60 tonnes amarré sur un traîneau tiré par 172 hommes, sans doute des esclaves à qui la menace du fouet interdit toute défaillance. Cette représentation, dans laquelle la statue du noble égyptien peut aisément être remplacée par un monolithe de même poids, semble fournir la clé d'une énigme qui a tourmenté les archéologues pendant des siècles : le transport des blocs gigantesques dont sont constitués la plupart des monuments de la vallée du Nil. Heureux de n'avoir plus à échafauder d'extravagantes hypothèses, nombreux sont les égyptologues, parmi les plus éminents, qui ont adopté cette solution comme la plus sûre. Ainsi aurais-je fait moi-même si les hasards de ma profession ne m'avaient amené à vérifier que cette clé ne correspondait pas à la serrure et à découvrir enfin... la bonne !

Technicien du Génie Civil, j'ai participé il y a quelques années au réaménagement du cours de la Moselle dont certains tronçons n'étaient pas conformes aux normes européennes de navigation fluviale. Ce travail nécessitait le transport et la mise en place de masses de matériaux importantes que nous extrayions d'une sablière située à 300 mètres du fleuve et amenions à pied d'œuvre à l'aide d'un bateau à clapet construit sur le modèle des maries-salopes dans lesquelles on déverse les vases lors des opérations de dragage. A un certain stade d'avancement des travaux, afin d'éviter un trop long détour par la route, je pris la décision d'isoler ce bateau dans une mare, ne doutant pas de trouver, quand ce serait nécessaire, le moyen de le transporter jusqu'au fleuve. Le moment venu, le colosse de Deir el Bercheh me revint en mémoire. Passionné d'archéologie, il ne me déplaisait pas de me trouver confronté à un problème comparable à ceux qu'avaient si magistralement surmontés les constructeurs égyptiens d'il y a quatre ou cinq mille ans. Si je ne pouvais me flatter de disposer comme eux d'une main-d'œuvre qu'à tort ou à raison on dit inépuisable, au moins en nombre, je bénéficiais en revanche de moyens mécaniques propres à défier les rêves de leurs architectes : 2 grues mobiles dont chacune était capable de hisser 20 tonnes en pied de flèche ainsi que des engins à chenilles développant une force de traction de 600 chevaux, soit l'équivalent de 600 hommes. Ainsi équipé, tirer sur 300 mètres les 50 tonnes de notre bateau semblait devoir n'être qu'un jeu. Tandis qu'entre la carrière et la Moselle, notre « piste de transport » était soigneusement préparée, aplanie et compactée, je fis construire un immense traîneau métallique renforcé en divers endroits de façon à prévenir toute déformation.

La première phase de l'opération se déroula sans encombre. Grâce à nos 2 engins de levage, la marie-salope put, sans difficulté majeure, être sortie de la sablière et hissée sur son support qui fut accroché aux tracteurs à l'aide de câbles d'acier de forte section.

Avant de replacer le bateau dans la Moselle, les engins avaient à effectuer deux amples virages sur un terrain légèrement ascendant — 6 mètres de dénivellation pour les 300 mètres du parcours, soit une pente de 2 %. Sans l'aide d'aucun fouet, je m'apprêtais à rééditer l'exploit de mes modèles de Deir el Bercheh !

J'avais sur eux un triple avantage. Le premier et non le moindre était la réduction de la longueur de traction. En second lieu, à puissance égale, mes 2 engins à chenilles offraient la garantie d'un effort parfaitement coordonné qu'il n'était pas possible d'attendre d'un ensemble de 172 hommes. Enfin, la solidité et la rigidité du porteur que j'avais fait réaliser étaient incomparablement supérieures à celles du traîneau égyptien.

Après avoir recommandé aux conducteurs d'avancer sans à-coups de façon à tendre progressivement les câbles de tirage, les moteurs se mirent à vrombir. Semblable à un ski géant, mon traîneau métallique parut s'ébranler, parcourut quelques centimètres puis, à notre grand désappointement, s'immobilisa. Tandis que s'enflait le grondement des moteurs, les chenilles patinaient, sans autre résultat que de s'enfoncer dans le sol.

Déçu mais non découragé, je donnai l'ordre d'interrompre l'opération. Le talent, a dit quelqu'un, c'est le courage de recommencer. Nous recommençâmes. Le terrain, profondément entamé par les crampons des chenilles fut remis en état, les tracteurs replacés en position de départ. Cette fois, une plus grande longueur de câble fut prévue. De plus, nous décidâmes d'amorcer la manœuvre par une petite secousse. Celle-ci parvint en effet à décoller le ski géant qui franchit de nouveau quelques centimètres avant de s'immobiliser une fois de plus. Sous l'effort brutal auquel ils avaient été soumis, les câbles d'amarrage s'étaient dangereusement effilochés. Force était de nous rendre à l'évidence : malgré tout le soin que nous avions apporté à la préparation de la piste de glissement, il était impossible de déplacer les 50 tonnes de la marie-salope par ce moyen.

Souvent proposée par les archéologues comme solution de transport de monolithes de grandes dimensions, l'idée de faire rouler le traîneau transporteur sur des rondins s'imposa alors à mon esprit. Des troncs de platanes parfaitement ronds furent aussitôt débités à la taille voulue et, sans trop de difficultés, répartis sous toute la longueur du traîneau. Après avoir renouvelé la consigne d'éviter les à-coups susceptibles de déséquilibrer notre remorque, je donnai une fois de plus le signal de la mise en route. Cette fois, un mètre, puis deux, puis un troisième furent parcourus. Le pouce levé en signe de victoire, je m'apprêtais à laisser éclater ma joie lorsqu'un rondin se mit en travers. Telles les pièces d'un château de cartes, les autres suivirent, au risque de faire basculer le traîneau et son chargement. De nouveau, il fallut interrompre l'opération. Comme il n'était pas pensable d'abandonner sur place la marie-salope, nous persévérâmes néanmoins. Cent fois de suite, nous avons dû redresser le traîneau, replacer les rondins... Au total, l'opération ne dura pas moins de huit jours.

S'il avait fallu tant de temps et d'efforts pour transporter sur 300 mètres un bateau équivalent à un seul monolithe, la preuve était faite qu'avec ou sans rondins, la technique du traîneau, peut-être utile dans quelques cas bien particuliers, n'était en aucune façon adaptée à la réalisation de travaux d'envergure comme l'édification des pyramides. Mais alors comment les constructeurs égyptiens avaient-ils procédé ? A quelle potion magique avaient-ils eu recours ? Au lendemain de l'échec mosellan, je désespérais de trouver jamais une réponse à toutes ces questions. Je n'en continuais pas moins inlassablement de me les poser. N'était-ce pas à force d'« y penser toujours » que Newton avait découvert l'attraction universelle ?

I

Khoui l'Horizon

Les anciens Égyptiens ne craignaient pas la mort. Ils se croyaient promis à une éternité bienheureuse dans le royaume d'Osiris ou aux côtés du dieu-soleil Amon-Râ. Quels que fussent leurs mérites terrestres, ils pensaient toutefois ne pouvoir y prétendre que si leur corps était préservé de la destruction. De là la pratique de l'embaumement par laquelle ils transformaient en momie le cadavre des défunts. De là également l'importance qu'ils accordaient à la préparation de leur sépulcre. Nul doute que l'édification de ce qu'ils appelaient leur « demeure d'éternité » n'ait été à leurs yeux la grande affaire de la vie. Si leurs palais étaient rebâtis, restaurés, modifiés au gré de leurs besoins ou de leur fantaisie, leurs tombeaux avaient la solidité voulue pour durer toujours. Et pour n'être jamais violés.

L'architecture funéraire n'a cependant pas pris du jour au lendemain la majestueuse énormité des pyramides. Dans les premiers temps, on se contenta d'ensevelir le mort avec ses objets familiers sous de simples tertres que le vent finissait toujours par emporter. Les premières tombes véritables, celles que l'on a retrouvées à Abydos ou Saqqarah (tombeau du roi Aha) sont des édifices qui s'étendent horizontalement, sur un seul niveau, à la manière des palais eux-mêmes, mais sous lesquels étaient construites de nombreuses chambres souterraines contenant les provisions et les objets destinés à subvenir aux besoins du défunt. Très vite, en effet, l'idée semble s'être imposée que la vie d'outre-tombe ne différait pas fondamentalement de la vie terrestre et que le défunt devait pouvoir retrouver dans celle-là tout ce dont il avait joui dans celle-ci, les nourritures et les vins dont il s'était enivré, les fleurs dont il avait humé le parfum, les onguents dont il avait recouvert son corps, les oiseaux dont le chant l'avait réjoui, les animaux familiers qui l'avaient entouré, les serviteurs et les femmes dont il avait goûté la présence... Mais lorsqu'on s'avisa qu'à la présence réelle de ces éléments de confort pouvait fort avantageusement être substituée leur représentation peinte ou sculptée (1), les chambres funéraires devinrent à la fois moins volumineuses et moins nombreuses, la superstructure des tombeaux prenant au contraire plus d'importance.

C'est alors que succédant aux tombes nagadiennes apparaissent dès le début de la période dynastique les monuments en forme de tronc de pyramide construits à l'aide de briques séchées au soleil auxquels on a donné le nom de mastabas — d'un mot arabe qui signifie banc ou banquette. Tant par sa conception qui ne diffère pas de celle des demeures de vivants, que par les bas-reliefs auxquels un stratagème magique confère maintenant le pouvoir de remplacer — ou plus exactement de signifier — les biens terrestres laissés à la disposition du mort, le mastaba reflète lui aussi la vie de son propriétaire. Le tombeau proprement dit, profondément enfoncé dans le sol sous le mastaba et rendu inaccessible après les funérailles, conserve toutefois un prolongement à la

LES DYNASTIES ÉGYPTIENNES

Repères chronologiques

I et II	ÉPOQUE THINITE 3100-2686.
III à VI	ANCIEN EMPIRE 2686-2181.
	Troisième dynastie.
	Nétérierket Djeser Ier
	Sanakht (Nebka) Djeser II
	Khaba
	Néferka (Neferkara)
	Quatrième dynastie.
	Snefrou
	Khéops
	Khéphren
	Mykérinos
	Didoufri
	Shepseskaf
	Cinquième dynastie.
	Ouserkaf
	Sahouré
	Neferirakaré-Kakai
	Shepseskaré
	Neférérré
	Niouserré-Ini
	Menkahouher-Akaouhor
	Dedkaré-Isési
	Ounas
	Sixième dynastie.
	Teti
	Ousirkaré
	Mériré Pépi Ier
	Merenré Antiemsaf (Mentesouphis I)
	Neferkaré Pépi II
	Mentesouphis II
	Nitocris
VII à X	PREMIÈRE PÉRIODE INTERMÉDIAIRE 2181-2133.
XI à XII	MOYEN EMPIRE 2133-1786.
XII à XVII	DEUXIÈME PÉRIODE INTERMÉDIAIRE 1786-1567.
XVIII à XX	NOUVEL EMPIRE 1567-1080.
XXI à XXV	NOUVEL EMPIRE TARDIF 1080-664.
XXVI	ÉPOQUE SAÏTE 664-525.
XXVII à XXXI	BASSE ÉPOQUE 525-332.

surface sous forme de deux chambres communiquant entre elles par une étroite ouverture : celle où est censé demeurer le double du défunt et celle où lui sont apportées les offrandes.

Plus tard, le souci d'assurer l'inviolabilité du sépulcre conduisit les architectes à augmenter à la fois les dimensions et la solidité de la superstructure. C'est ainsi qu'on arrive au style pyramidal qui fait son apparition avec la pyramide à degrés construite à Saqqarah (*fig.* 1, p. 24) pour le roi Djeser par le célèbre Imhotep qui fut non seulement son architecte mais également son médecin et son astronome en attendant d'être déifié comme le fils de Ptah lui-même.

Selon la légende, une grande calamité marqua le règne de Djeser : pendant sept années, il n'y eut pas de crue du Nil. Khnoum, que le souverain alla invoquer à Éléphantine, ne resta cependant pas insensible à ses prières. Après avoir prescrit à Djeser de faire réparer les chapelles laissées à l'abandon pendant la famine et de construire désormais les temples avec « les pierres qui existent depuis l'origine des temps et que nulle main n'a encore travaillées », il fit en sorte que l'abondance revînt. La « révolution architecturale » dont on a parlé à propos de la pyramide à degrés ne se borne cependant pas à l'usage de la pierre. A partir d'un mastaba progressivement agrandi, Imhotep conçut l'idée d'un vaste monument en gradins par lequel le tombeau royal se distinguait pour la première fois des tombeaux privés. Enfin, pour la première fois également, le monument n'était plus isolé. Il apparaissait comme la pièce maîtresse d'un vaste ensemble funéraire tout entier consacré à la survie du roi : temples où s'accomplissaient les cérémonies d'offrandes, installation portuaire sur le Nil, chaussée conduisant à la pyramide elle-même.

Le modèle de la pyramide à degrés prévalut sans doute sous les successeurs de Djeser dont les règnes nous sont mal connus. La véritable pyramide, la pyramide lisse, ne fait son apparition que sous le règne de Snéfrou, le fondateur de la IVe dynastie. Le tombeau royal cesse alors d'apparaître comme un empilement de mastabas pour prendre la forme géométriquement pure d'un monolithe à la pointe fièrement dressée vers le ciel. Grand conquérant mais surtout bâtisseur infatigable, Snéfrou passe pour avoir fait construire, en dehors de son somptueux palais de Thèbes, quelque trente-cinq demeures (2). Il ne négligea pas pour autant sa vie éternelle en prévision de laquelle il fit ériger trois majestueux tombeaux.

Le premier était encore un édifice à degrés auquel un revêtement (presque entièrement disparu aujourd'hui) donnait toutefois l'apparence d'une pyramide (Meïdoum) ; le second se présente comme un tronc de pyramide surmonté d'une pyramide (pyramide dite « rhomboïdale » de Dahchour) (3). Mais le troisième (également à Dahchour) est une pyramide pure recouverte d'un calcaire fin et lisse. Construite en fonction de deux axes précis, l'un est-ouest suivant la course diurne du soleil, l'autre sud-nord suivant la ligne du Nil, la pyramide fait l'effet d'un rayon de soleil pétrifié, par lequel le Ciel semble communiquer avec la Terre. En même temps que la convergence de ses arêtes contraint le regard à se tourner en direction du ciel, elle représente par sa base largement ancrée au sol l'image idéale de la stabilité et de la solidité.

Appelé à inspirer les bâtisseurs égyptiens pendant plus de mille ans, le style pyramidal atteint son plein épanouissement avec les monuments édifiés par le fils de Snéfrou, Khéops et ses successeurs, Khéphren et

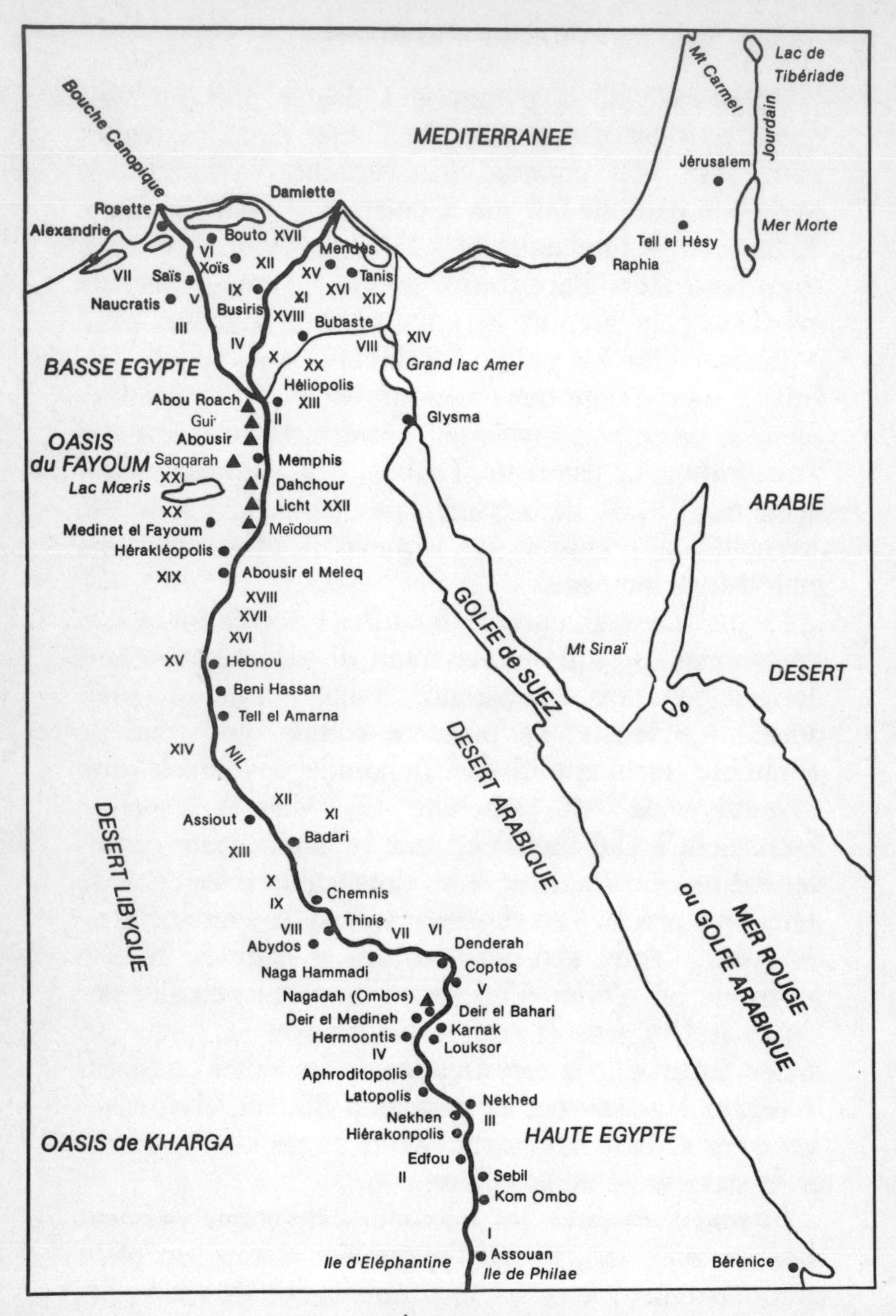

Fig. 1. L'Égypte pharaonique.

Mykérinos, sur le plateau de Guizeh. A l'exception de quelques laconiques inscriptions retrouvées dans des mastabas voisins, on ignore à peu près tout du règne de ces trois pharaons. A la différence de Snéfrou dont le papyrus Westcar nous apprend qu'il poussait la bienveillance jusqu'à s'adresser à ses courtisans comme à des camarades, Khéops semble s'être comporté en tyran. Selon une tradition antique, il commença par imposer la fermeture des temples afin que ses sujets ne perdent pas en prières le temps dont ils disposaient, pendant les trois mois où la crue du Nil les empêchait de travailler la terre, et se consacrent entièrement à la construction de sa pyramide. Hérodote l'accuse également d'avoir, alors qu'il était à court d'argent, obligé sa propre fille à se prostituer jusqu'à ce qu'elle eût amassé la somme qu'il réclamait (l'historien grec ajoute qu'à chacun de ses amants, elle demanda un bloc de pierre destiné à l'édification de sa propre pyramide !). Quoi qu'il en soit, c'est à la réalisation de la Grande Pyramide que le nom de Khéops demeure pour jamais associé. Elle suffit à sa gloire.

1

Une montagne artificielle de plus de 6 millions de tonnes

Sobre jusqu'au dépouillement, massive jusqu'à la démesure, le monument que les prêtres avaient baptisé Khoui l'Horizon (*fig.* 2), et que nous appelons, nous, la Grande Pyramide — elle est en effet la plus grande qui ait jamais été construite — compose avec les deux pyramides de Khéphren et de Mykérinos qui l'avoisinent sur le plateau de Guizeh (*fig.* 3, p. 28), à une douzaine de kilomètres de l'actuelle ville du Caire, un des ensembles architecturaux les plus impressionnants qui existent au monde. Conçue par les deux architectes Hémiunu et Weppemnoffret pour protéger le périple funéraire de leur maître, elle dresse sa masse gigantesque à moins de 300 mètres de la vallée du Nil, à la lisière du désert. Amputé d'une douzaine d'assises et du pyramidion (peut-être recouvert d'or) qui le couronnait, presque entièrement dépouillé de son revêtement calcaire (4) — revêtement si habilement appareillé, dit-on, qu'il lui donnait l'aspect d'un monolithe, secoué jusque dans ses entrailles par divers séismes, gravement ébréché par les pilleurs de tombes ou les chercheurs de pierres, le majestueux édifice n'a rien perdu de sa géométrique pureté.

Fig. 2. Vue aérienne du plateau de Guizeh (d'après G. Goyon).
Khéops, pharaon de la IVe dynastie fit choix d'un plateau à la lisière du désert, à 7,5 km à l'Ouest de Guizeh.

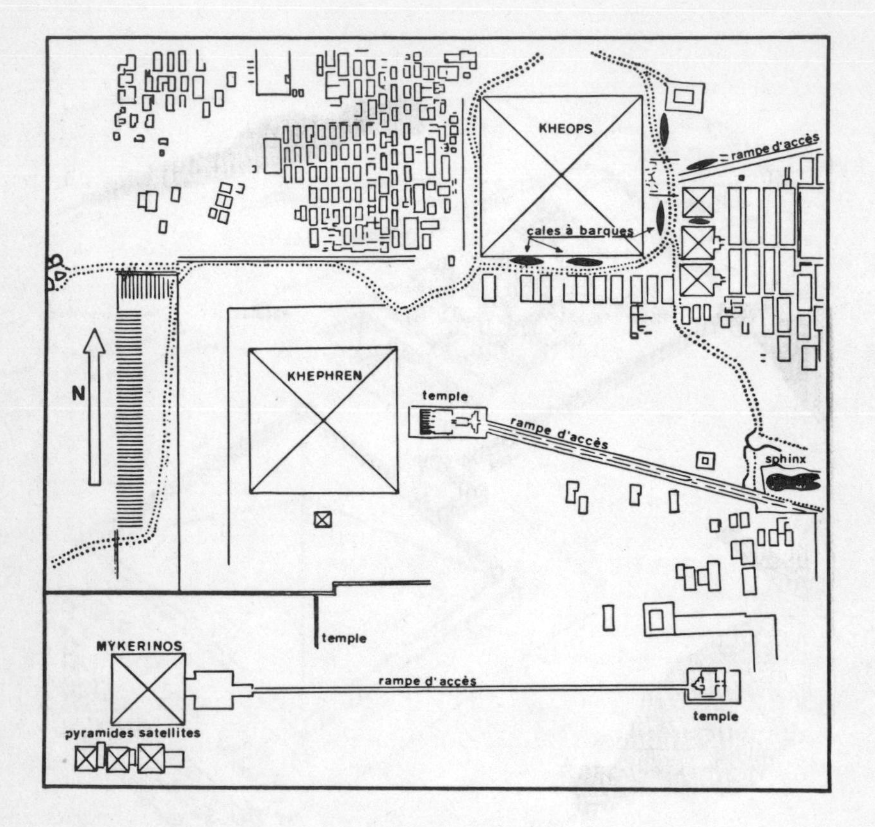

Fig. 3. Le groupe de Guizeh.
La pyramide de Khéops est entourée par des alignements exacts de mastabas et par trois petites pyramides dans lesquelles furent inhumés ses parents et des hauts fonctionnaires. Presque sœur jumelle par sa taille (140 m), celle de Khéphren n'est pas aussi soigneusement construite, mais son temple mortuaire, à l'Est, est plus imposant. Celle de Mykérinos (70 m) marque la fin de l'Age des Pyramides.

Son socle rocheux a été nivelé avec une précision telle qu'il ne s'écarte en aucun point de plus ou de moins de 13 millimètres par rapport à une cote de référence. Sa base est un carré presque parfait de 230 mètres de côté — entre le plus petit côté et le plus grand, la différence n'excède pas 20 centimètres — ce qui représente une surface de 5,3 ha. Quant aux 4 angles à la base, ils s'écartent fort peu de l'angle droit idéal : le plus faible mesure 89°56′27″, le plus grand 90°3′2″. Non moins précise est l'orientation des 4 faces de la pyramide par rapport aux points cardinaux : la plus forte déviation, celle de la face est, n'excède pas 5′30″. Chacune de ces faces formant avec le sol un angle de 51°52′, le monument atteignait, du moins avant la disparition de sa partie supérieure une hauteur de 146,59 m.

Le volume d'une pyramide étant comme chacun sait le produit de la surface de base par le tiers de la hauteur, la pyramide de Khéops représente donc une montagne artificielle de quelque 2 500 000 mètres cubes. Toutefois, le centre du noyau étant constitué d'un massif rocheux dont on n'est pas parvenu à déterminer précisément l'importance, on ne peut calculer la quantité de pierre taillée que contient la Grande Pyramide (5). Selon l'estimation la plus communément admise, elle représenterait environ 2 300 000 blocs de pierre dont le poids unitaire varie entre 1,5 et 15 tonnes (chaque bloc pesant en moyenne 2,5 t). Lors de l'expédition d'Égypte, Bonaparte estima qu'avec un tel volume de pierres, on eût pu entourer la France d'une enceinte de 3 mètres de haut et de 30 centimètres de large (6) ! Il est vrai que depuis Hérodote, tous ceux qui se sont trouvés pour la première fois devant cette grandiose montagne artificielle n'ont pu se retenir d'évaluer la somme d'efforts et d'argent investie dans sa construction.

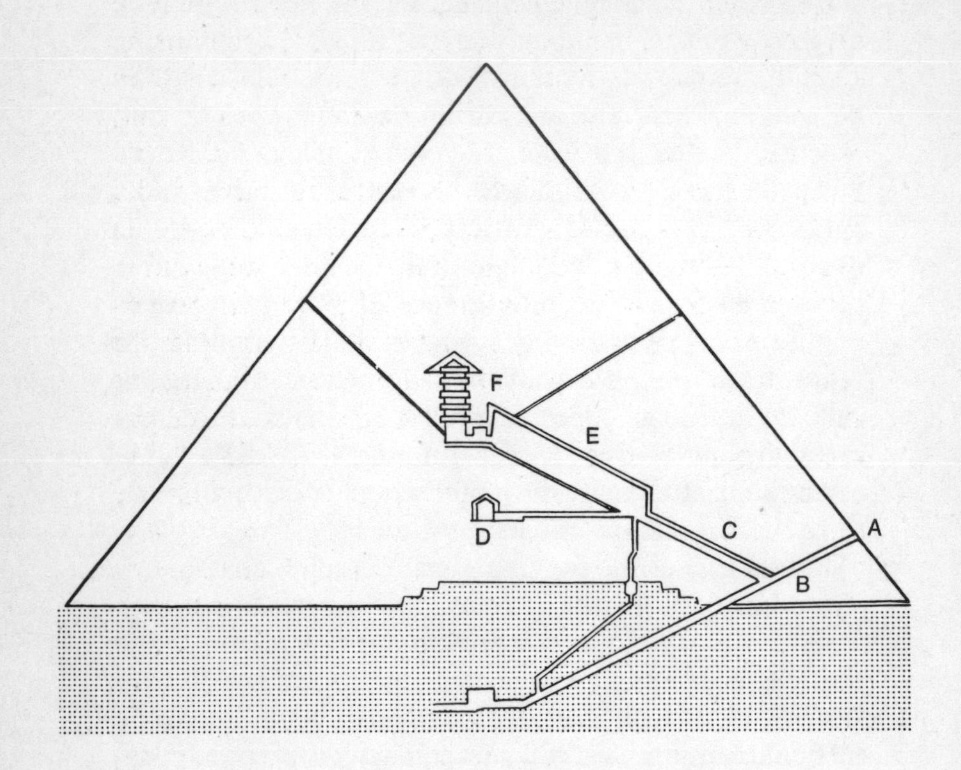

Fig. 4. La pyramide de Khéops (coupe vers l'Ouest).

A : *Entrée face nord*
B : *couloir descendant*
C : *couloir ascendant*
D : *chambre de la reine*
E : *grande galerie*
F : *chambre du roi*

Cependant, l'aménagement intérieur de la pyramide de Khéops contraste par son exiguïté avec le gigantisme de la maçonnerie protectrice, les chambres et couloirs ne représentant très grossièrement que la mille cinq centième partie du volume total. L'entrée (*fig.* 4, *a*), est située sur la face nord, à 27,50 m au-dessus du socle, mais elle est décalée par rapport au sommet de la pyramide de 7,20 m vers l'est. Sans doute la dalle qui la condamnait se confondait-elle avec les pierres du revêtement. Aussi, au IXe siècle de notre ère, les hommes du calife al-Ma'moum désirant pénétrer dans le monument afin de s'emparer de ses trésors supposés furent-ils amenés à percer une ouverture au-dessous (7). Cette ouverture donne accès à un couloir descendant de section rectangulaire (1 m de large sur 1,17 m de haut) qui s'enfonce (*b*) suivant un angle de 26°31'23" d'abord dans la maçonnerie puis, environ à mi-parcours dans le roc du soubassement. A 103 mètres de l'entrée, ce couloir se prolonge horizontalement pendant 8,70 m avant de déboucher sur une chambre d'un peu moins de 400 mètres cubes puis, au-delà de cette chambre, pendant encore quelques mètres avant de se terminer en cul-de-sac.

Dans toute cette partie, l'état d'inachèvement est total. Si le dessein des architectes n'a pas été d'égarer d'éventuels pilleurs, il faut admettre qu'à ce stade des travaux, un second projet s'est substitué au projet initial, visant à installer la chambre mortuaire non plus dans le roc mais au cœur du noyau maçonné de la pyramide. Selon ce second projet, une galerie fut creusée à 18 mètres de l'entrée à partir du plafond du couloir descendant. Ascendante celle-là, elle forme avec ce dernier un angle de 133° et, avec une section identique, elle se prolonge pendant 38,70 m (*c*) avant de se diviser en deux branches. La première, horizontale, conduit à une chambre de granit que, depuis les Arabes, on appelle improprement la « chambre de la reine » *(d)*.

D'un volume de 175 mètres cubes, celle-ci est située à mi-distance des faces nord et sud de la pyramide. Son plafond en pointe fait apparaître le souci des bâtisseurs égyptiens de repousser sur les jambages le poids énorme des maçonneries supérieures. La seconde branche s'épanouit dans ce que l'on appelle la grande galerie (*fig.* 4, *e*), une des plus belles réalisations architecturales de l'Ancien Empire. De même pente que le couloir ascendant, la grande galerie mesure 46 mètres de longueur et 2,25 de largeur. Les parois latérales, hautes de 7,40 m sont composées de 7 assises en pierres de Mokattam si finement ajustées qu'il n'est pas possible d'y glisser une lame de couteau. De plus, chaque assise présente la particularité d'être décalée de 9 centimètres vers l'intérieur par rapport à celle qui la soutient, en sorte que l'ensemble présente l'aspect d'une voûte en encorbellement, la partie supérieure étant composée de dalles posées horizontalement.

Avant de déboucher sur la chambre du roi (*fig.* 4, *f*), la grande galerie se prolonge par une sorte de sas dont les parois est et ouest comportent 4 larges rainures destinées au logement de herses défendant l'approche de la chambre royale. Celle-ci, entièrement en granit, mesure 10,30 m d'est en ouest, 5,15 m du nord au sud et 5,80 m de hauteur, ce qui représente un volume d'un peu plus de 300 mètres cubes. L'immense crypte, qui ne comporte ni inscription ni représentation, abritait le lourd sarcophage de granit, sans couvercle, où reposait le corps de Khéops. Au-dessus d'un plafond plat composé de 9 dalles pesant au total 400 tonnes, les architectes

Fig. 6. Coupe transversale de la chambre du roi.

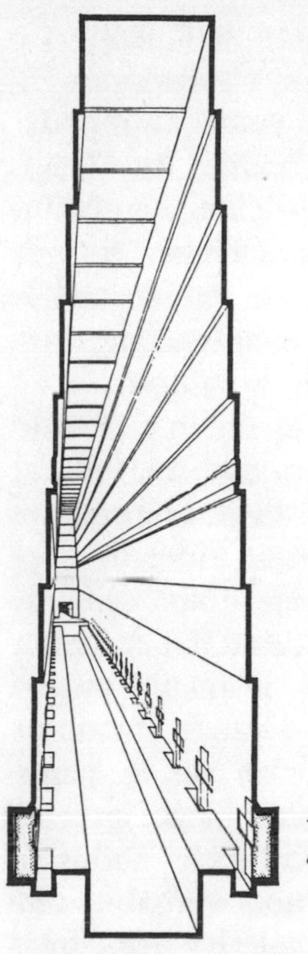

Fig. 5. Coupe transversale de la grande galerie (d'après J. Capart et M. Werbrouck).

égyptiens avaient prévu 5 pièces de décharge superposées : 5 plafonds successifs constitués d'énormes dalles, les quatre premières horizontales, la cinquième en forme de V renversé. L'ensemble était destiné à protéger la chambre royale de l'écrasement par la charge énorme des 100 mètres de maçonnerie surjacente. Celle-ci se trouvait donc répartie sur des jambages massifs. La précaution s'est révélée judicieuse : toutes ces pierres sont fendues, sans doute à la suite de séismes ou de tassements, mais aucune ne s'est brisée et n'est tombée.

L'intérieur de la Grande Pyramide est entièrement vierge de toute inscription (9). Seule une pierre, d'ailleurs difficile à apercevoir porte le nom de Khéops. Ce dernier se serait, dit-on, contenté de s'approprier un monument érigé longtemps avant sa venue au monde. Plus précisément, un auteur arabe, Ibrahim Ibn Wasif, attribue à la Grande Pyramide une origine... antédiluvienne. « Trois cents ans avant le Déluge, écrit-il, Sourid eut un songe dans lequel il lui sembla que la Terre se renversait. Les hommes s'enfuyaient droit devant eux, les étoiles tombaient et se heurtaient les unes contre les autres avec un fracas terrible. Sourid effrayé ne parla à personne de ce songe mais il fut convaincu qu'un grave événement allait se produire dans le monde. » De là lui serait venue l'idée de faire ériger deux pyramides — la seconde étant celle de Khéphren — au centre desquelles il aurait fait enfermer tout le savoir scientifique du temps. D'aucuns ont en outre soutenu que l'intérieur de la Grande Pyramide était infiniment plus complexe qu'on ne le pense aujourd'hui. En particulier, la chambre basse, située à une trentaine de mètres au-dessous du socle, aurait en fait constitué l'étage supérieur d'une véritable cité comportant nombre de salles et de galeries demeurées inviolées depuis Sourid. On supposait même l'existence d'une chambre profonde de 60 mètres au-dessous de la base de la pyramide, qu'on aurait signalée à Hérodote. Des révélations de même genre émises, à propos de la pyramide de Khéphren, ont amené les universités de Berkeley et du Caire à faire procéder après 1966 à des sondages électroniques. Ceux-ci, précisons-le, n'ont cependant pas permis de déceler l'existence de cavités inconnues. Aussi nous en tenons-nous, pour l'instant, à la description traditionnelle de l'intérieur de la Grande Pyramide.

Ainsi que nous l'avons signalé, chaque pyramide

s'inscrivait dans un vaste ensemble funéraire dont elle était le centre spirituel et, du point de vue architectural, la pièce maîtresse. Admirablement conservé dans le cas de la pyramide de Khéphren, cet ensemble n'a laissé autour de celle de Khéops que quelques rares vestiges. Du mur d'enceinte, tout a disparu hormis une petite partie du dallage qui le séparait de la pyramide. En 1946, l'archéologue J.-Ph. Lauer est parvenu tant bien que mal à reconstituer le plan du temple haut. Le temple Bas, autrefois situé au bord du Nil, est aujourd'hui enfoui — du moins ce qu'il en reste — sous le village de Kafr es Samman. Quant à la rampe qui permettait d'accéder de l'un à l'autre, on n'en a retrouvé que deux modestes fragments, l'un dans une petite carrière, l'autre à l'endroit où elle franchissait le rebord du plateau de Guizeh. En revanche, on a retrouvé sur le pourtour supposé du temple haut et de part et d'autre de la rampe d'accès cinq cavités naviformes dont deux contenaient des barques encore intactes (10).

2

Des montagnes magiques ?

On a beaucoup divagué à propos des pyramides et notamment de celle de Khéops. Certaines traditions populaires ont conduit à rechercher leurs architectes parmi les patriarches juifs. Des légendes musulmanes ont cru reconnaître dans ces monuments, tantôt l'œuvre de génies, tantôt des réservoirs à grains que Joseph aurait fait édifier pendant les années de vaches grasses en prévision de famines futures. Quant aux chercheurs modernes, historiens, philosophes, mathématiciens et occasionnellement archéologues, ils ont souvent oublié que les pyramides étaient des tombeaux pour les considérer comme autant de montagnes magiques. A défaut de trésors, d'ailleurs depuis longtemps dérobés par les pillards, ils se sont évertués à mettre en évidence les connaissances mathématiques, astronomiques, géodésiques, que des grands initiés, les prêtres égyptiens, auraient enfermées dans la pierre. A cette fin, ces chercheurs imaginatifs se sont livrés, à propos des dimensions et des volumes de la pyramide de Khéops, à de véritables orgies arithmétiques.

C'est un professeur d'astronomie à l'Académie d'Édimbourg, Charles Piazzi-Smith, qui donna le ton, au XIXe siècle. A l'aide d'une mesure de son invention, la « coudée sacrée (11) », il parvint à faire du monument funéraire de Khéops une Bible de pierre recelant aussi bien la valeur de π que la distance entre la terre et le soleil. Un de ses disciples, l'abbé Moreux a pu, en divisant le périmètre de base par le double de la hauteur, obtenir pour π la valeur de 3,1416. Mais ses données de départ étaient malheureusement inexactes. A la recherche d'un archétype plastique, un architecte, M. Fournier des Corats se flatte d'avoir mis en évidence sur la pyramide de Khéops (ainsi que sur la plupart des monuments égyptiens) l'existence de huit rapports de Divine Harmonie dont serait tiré le fameux canon égyptien. Des mathématiciens tels que Jarolimek ou Kleppisch ne dédaignèrent pas ce divertissement.

Nul n'est cependant allé plus loin dans l'extravagance que Georges Barbarin, un autre disciple de Charles Piazzi-Smith. Aux yeux de G. Barbarin, c'est toute l'histoire de l'univers qui est inscrite dans la Grande Pyramide. « Si les mesures extérieures ont des significations astronomiques supérieures et comportent avec une précision minutieuse certaines grandes formules de l'univers, les mesures intérieures de la pyramide nous acheminent vers des possibilités encore plus inattendues et dont l'intérêt est d'autant plus passionnant qu'elles se rattachent directement à l'histoire présente de l'Humanité... « Le système des couloirs de la pyramide, précise G. Barbarin, comporte un ensemble de passages et de chambres combinés d'une manière subtile et dans lesquels il n'y a pas un embranchement, pas une distance, pas une orientation, pas un cube, pas une pente, pas une saillie qui n'ait sa haute, précise et constante signification. Le système des couloirs est organisé suivant un plan géométrique et symbolique, où rien absolument n'est laissé au hasard. De telles évidences, il est naturellement possible de déduire des dates précises. L'intersection de la ligne du sol, prolongée du premier passage ascendant avec la ligne axiale des passages d'entrée et descendant, donne la date de l'exode d'Israël, le 4 avril 1486 av. J.-C. Dans un ordre d'idées assez différent, le 29 mai 1928, commencement de la crise économique, se trouve indiqué par le début du deuxième passage bas... » De même qu'en compliquant suffisamment une épure, on parvient à retrouver un peu partout le fameux Nombre d'or, de même en jouant sur l'inclinaison des galeries, les hauteurs de plafond et l'intersection des différents passages, on aboutit à faire dire n'importe quoi à la Grande Pyramide (12). Si l'on en a trop dit pour que tout soit vrai, il se peut à l'inverse, qu'on en ait aussi trop dit pour que tout soit faux.

Selon l'abbé Moreux, les architectes de la Grande Pyramide connaissaient la longueur du rayon polaire de la Terre, la distance de la Terre au Soleil, la longueur du parcours de la Terre sur son orbite pendant vingt-quatre heures, le nombre d'années du cycle de la précession des équinoxes, la durée de l'année normale et de l'année bissextile, la répartition des terres émergées. On ne prête qu'aux riches ! Il ne s'agit certes pas de dénier aux anciens Égyptiens toute connaissance scientifique. Dans l'ordre astronomique notamment, on a pu vérifier que la pyramide de Khéops indiquait le nord vrai avec une erreur de trois minutes et six secondes (Tycho Brahé en 1577 commit quant à lui une erreur de dix-huit minutes). Si l'abbé Moreux a délibérément faussé les chiffres pour obtenir une valeur satisfaisante de π, il n'en reste pas moins que ses calculs, repris avec des données exactes, ont permis d'obtenir $22 : 7 = 3{,}1428$

qui est précisément la valeur de π trouvée par Archimède (13).

En ce qui concerne la section d'or, qui apparaît dans l'angle d'inclinaison des pentes de la Grande Pyramide, on peut douter que les Égyptiens en aient reconnu les diverses propriétés. Rappelons toutefois qu'ils attribuaient à certains nombres une valeur magique, voire un caractère sacré. Il n'est donc pas exclu qu'ils aient utilisé le Nombre d'or et les rapports qui en dérivent comme principe, sans jamais le divulguer, en raison précisément de son caractère sacré (14). On peut également supposer qu'ils n'aient fait que pressentir, d'instinct, ses multiples propriétés. « Il est probable, note à ce sujet Mathila Ghyka, que l'architecte de la Grande Pyramide n'était pas au courant de toutes les propriétés géométriques que nous y découvrons après coup. Ces propriétés ne sont cependant pas accidentelles, mais découlent en quelque sorte organiquement de l'idée maîtresse consciemment réalisée dans le tracé du triangle méridien. Une conception géométrique synthétique et claire, poursuit l'auteur des *Rites et des Rythmes*, fournit toujours un bon plan ; celui-ci eut l'originalité d'enchâsser dans la rigidité abstraite et cristalline de la pyramide une pulsation dynamique, celle-là même qui peut être regardée comme le symbole mathématique de la croissance vivante... »

Sans retenir l'affirmation de Charles Piazzi-Smith selon laquelle l'unité de chaleur de la pyramide de Khéops est la température moyenne de toute la surface de la Terre — affirmation, convenons-en, assez difficile à vérifier — on a présenté comme extraordinaire le fait qu'elle dégageait de l'énergie thermique. On se demande comment un tel monument exposé pendant de longues heures aux rayons du soleil pourrait ne pas restituer les calories qu'il a emmagasinées !

Les compteurs Geiger ayant révélé la présence d'éléments radioactifs dans la masse de la pyramide, certains se sont empressés de conclure qu'elle était une gigantesque pile atomique et que les Égyptiens du troisième millénaire étaient les détenteurs d'une science nucléaire auprès de laquelle nos connaissances sur la fission ne seraient que des balbutiements ! Le granit, on le sait, est naturellement radioactif et les compteurs Geiger semblent parfois s'affoler en Bretagne ou en Auvergne. Dans la pyramide de Khéops où sont rassemblées des masses importantes de granit, le phénomène radioactif est en effet parfaitement décelable. Mais soyons sans crainte, il n'atteint jamais le seuil critique au-delà duquel les visites seraient interdites !

Séduisantes, irritantes ou tout simplement ridicules, les élucubrations des « pyramidomanes » ne doivent cependant pas détourner notre attention de la seule véritable énigme des pyramides égyptiennes : leur construction.

Il est temps en effet de mettre de côté la mathématique de fantaisie qui a prétendu retrouver les intentions cachées des constructeurs égyptiens, pour ne plus considérer que la prouesse technique représentée par l'assemblage de plusieurs millions de tonnes de pierres selon une forme géométriquement pure. Le soin et la patience, voire le sens aigü de l'organisation que l'on prête d'ordinaire aux bâtisseurs de l'ancienne Égypte, ne suffisent pas à tout expliquer.

Sans doute les conditions naturelles étaient-elles propices au développement d'un art monumental. François Benoît dont l'important ouvrage sur *l'Architecture de l'Antiquité* (H. Laurais, Paris 1911) reste la meilleure référence pour tous les curieux de l'art des bâtisseurs anciens, rappelle que les Égyptiens disposaient de facilités exceptionnelles pour leur approvisionnement en matériaux. Si le pays est relativement pauvre en bois — on y trouve des palmiers, mais le palmier est filamenteux et travaille mal à la flexion comme à l'écrasement ; des sycomores, mais le sycomore manque de densité et de rigidité ; des acacias et des tamaris, mais ces espèces ne peuvent fournir que des pièces de médiocre dimension et l'on ne peut guère compter que sur les forêts de cèdres et de cyprès de la côte de Syrie — en revanche, on y trouve à profusion des éléments de qualité pour la construction en briques et en pierres. Séché au soleil (15), le limon du Nil devient dur et incompressible. Il permet de fabriquer des briques que les Égyptiens ont abondamment utilisées, tant pour la construction des palais et des demeures d'ici-bas que dans l'architecture sacrée, du moins, jusqu'à la « révolution architecturale » à laquelle Imhotep associa son nom.

Quant à la pierre, les falaises qui bordent la vallée du Nil la fournissent à discrétion, parfois sous forme d'échantillons qui comptent parmi les plus beaux que l'on connaisse. François Benoît donne à ce sujet de précieuses indications. Le calcaire se rencontre sur toute la longueur de la chaîne arabique avec pour principaux gisements : en haute Égypte, ceux du djebel Silsileh, en moyenne Égypte, au djebel Abou, à Het Noub, à El Kosseir, dans le bas pays, au voisinage du Caire, ceux de Masara, de Tourah, du Mokattam. Les hauteurs orientales du djebel Ahmar, près du Caire, et les hauteurs occidentales, au nord d'Assouan, sont riches en grès. On trouve de l'albâtre dans la chaîne arabique, depuis le djebel Masara, près du Caire, jusqu'à Siout (Het Noub et El Kosseir). François Benoît signale enfin la richesse de la chaîne libyque en roches dures, de texture serrée et de colorations diverses : granits sombres dans les carrières de l'oued Hammamat et surtout, dans la région d'Assouan, des quartz et des micas jaunes, bruns, rougeâtres, noirs... C'est généralement dans les carrières les plus proches du lieu de la construction que les Égyptiens se procuraient les roches les plus grossières. Quant aux roches plus précieuses nécessaires aux constructions sacrées, ils allaient parfois les chercher fort loin.

Les conditions humaines étaient tout aussi favorables que les conditions naturelles. Sans préjuger du nombre d'hommes mobilisés pour l'édification des pyramides, il est sûr que le pharaon, monarque absolu, disposait d'une main-d'œuvre abondante et entièrement soumise à ses volontés. Outre que la culture d'un sol périodiquement fertilisé par le Nil n'est guère astreignante, le régime hydrologique du fleuve assure au paysan pendant trois mois de l'année des loisirs forcés, en sorte que le roi pouvait le mobiliser pour d'autres travaux sans s'exposer à déséquilibrer la vie économique du pays. C'est ainsi que, du moins pour les grosses besognes, des ouvriers agricoles, des artisans, des pêcheurs et autres gens très modestes qui composaient la plus grande partie de la société égyptienne au temps de Khéops durent apporter leur concours à la réalisation du tombeau royal.

Contrairement à ce que l'on croit souvent, tous ces ouvriers n'étaient pas des esclaves (16). Ils étaient logés, soignés et recevaient en suffisance de l'huile, de la farine, des olives ainsi que divers produits appréciés tels que l'ail et le raifort. De plus, ils recevaient pour prix de leur travail un paiement en nature. Il leur arriva même de se mettre en grève. Des « livres de comptes » datant de Ramsès III en font état (17). L'armée régulière, encore peu nombreuse sous la IVe dynastie et les marins, à la fois militaires et commerçants apportèrent eux aussi leur concours aux grands travaux. Les marins étaient, comme il se doit, le plus souvent responsables des transports. On a pu retrouver le détail d'une expédition chargée d'extraire et de transporter des pierres en provenance de Silsileh et destinées à l'édification du temple de Médinet Habou. Quant aux militaires, ils étaient plus généralement préposés aux travaux de construction eux-mêmes. Certains d'entre eux avaient d'ailleurs reçu à cette fin une formation technique. A titre d'exemple, ils devaient être capables de déterminer le nombre de briques nécessaires pour construire une rampe longue de 365 mètres, large de 28 et constituée de 120 compartiments (18). Œuvraient également sur le chantier des ouvriers spécialisés, artistes, sculpteurs, tailleurs de pierres, maçons, charpentiers. A la tête du chantier, on trouvait l'architecte, fonction hautement estimée que ne dédaignaient pas d'exercer des princes de sang royal ou de grands dignitaires de l'État.

Pour l'extraction et la taille des blocs, les Égyptiens du temps de Khéops ne disposent que d'un outillage encore rudimentaire fait de cuivre (19) ou de pierre. Un obélisque encore couché sur son lit de carrière, retrouvé dans les environs d'Assouan a donné des indications intéressantes sur la façon dont les blocs étaient détachés de la masse rocheuse. Des rainures étaient creusées afin de délimiter le bloc. Pour le calcaire, les outils de cuivre suffisaient, mais un marteau de diorite était nécessaire pour le granit. Des percuteurs de dolérite retrouvés dans la carrière donnent à penser que les ouvriers ont pu se livrer à un véritable mitraillage de la roche. Des coins étaient ensuite introduits dans les rainures ou les fentes. Selon l'explication traditionnelle, leur dilatation suffisait à séparer le bloc suivant un plan assez net pour permettre le découpage du bloc suivant (20).

Une fois détachés de la masse rocheuse, les blocs prenaient la forme désirée entre les mains des tailleurs de pierre et le cas échéant, des sculpteurs, opérant sur le lieu d'extraction. Le sciage et le polissage par le moyen d'abrasifs était couramment pratiqué. On a retrouvé des échantillons de poudre d'émeri ou plus exactement de poudre de quartz, ce dernier matériau étant abondant en Égypte. Lorsqu'au moment de la mise en place sur la pyramide, les assemblages présentaient des défauts de jointoiement (*fig.* 7, p. 46), on sciait entre les deux pierres à l'aide d'un fil émerisé enroulé autour de deux poignées de bois, on remettait les blocs en contact et on recommençait l'opération jusqu'à ce que l'assemblage fût parfait.

Les Égyptiens employaient communément des pierres de dimensions moyennes, longues de 1,50 à 2,50 m, hautes de 0,80 à 1 mètre, mais ne reculaient pas devant la mise en œuvre de blocs beaucoup plus importants. D'abord parce que l'équarissage des grosses pierres était proportionnellement plus économique que celui des petites. Ensuite parce qu'à la différence des petites pierres qui exigent d'être liées par un mortier, les grosses assurent par leur propre poids, la solidité d'une construction. Enfin parce que, de toute évidence, ils avaient trouvé le moyen de les *transporter*.

Bien avant de devenir un peuple de navigateurs, les anciens Égyptiens apprirent à tirer parti du moyen de transport exceptionnel que représentait le Nil, notam-

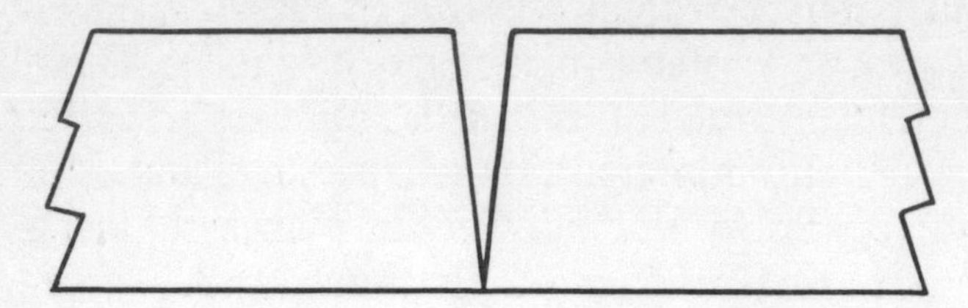

1. Assemblage de pierres mal jointoyées.

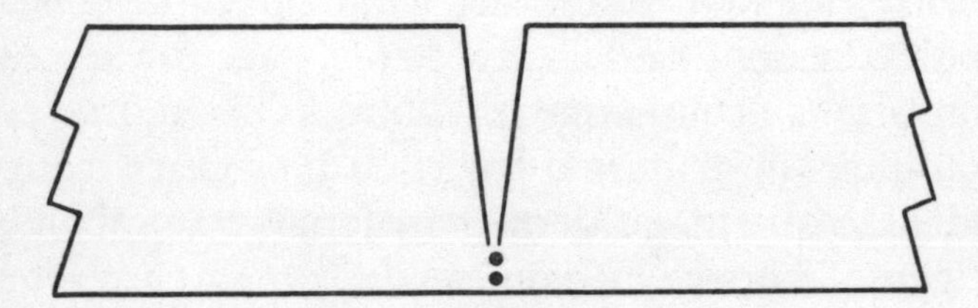

2. Passage d'un fil émerisé entre les deux pierres.

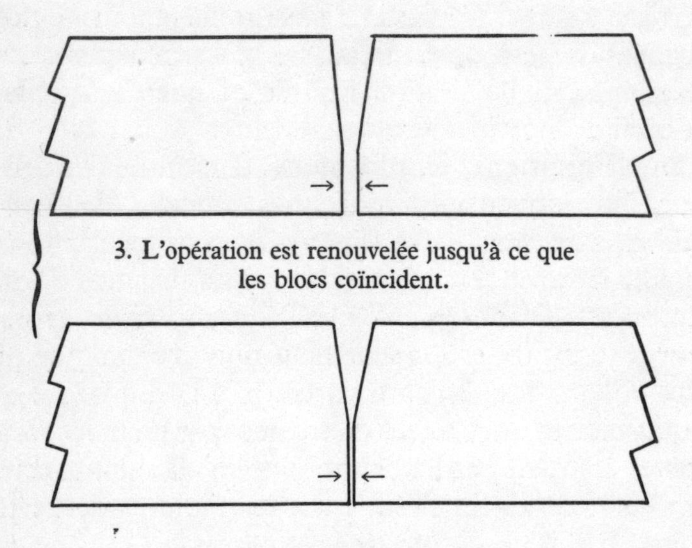

3. L'opération est renouvelée jusqu'à ce que les blocs coïncident.

Fig. 7. Assemblage des blocs.

ment pendant ses périodes de crues. C'est ainsi qu'ils construisirent de rudimentaires radeaux, puis des barques à bord desquelles les charges les plus lourdes, si pénibles à déplacer sur la terre ferme, paraissaient glisser au fil de l'eau. Hérodote, dont les *Histoires* vont constituer pour nous, dans toute la suite de ce livre, une source d'informations irremplaçable, a donné de ces barques une intéressante description. « Leurs barques, écrit-il, celles qu'ils emploient pour porter leurs fardeaux, sont faites avec un arbre épineux qui ressemble beaucoup au lotus de Cyrène, dont il sort une larme qui se condense en gomme. Ils tirent de cet arbre des planches d'environ deux coudées (21), les arrangent de la même manière qu'on arrange les briques et les attachent avec des chevilles fortes et longues. Ils placent sur leur surface des solives, sans se servir de varangues ni de côtés. En revanche, ils affermissent cet assemblage par l'intérieur avec des liens de papyrus. Ils font ensuite un gouvernail qu'ils passent à travers la carène, puis un mât avec l'arbre et des voiles avec le papyrus... » Sans doute les embarcations lourdes, dont disposaient également les Égyptiens pour le transport de charges plus importantes, étaient-elles construites sur le même modèle.

On sait en tout cas, toujours grâce à Hérodote, de quelle façon elles étaient manœuvrées. « Ces barques, note l'historien grec, ne peuvent pas remonter le fleuve, à moins d'être poussées par un grand vent. Aussi est-on obligé de les tirer à partir du rivage. Voici comment on procède : on dispose d'une claie de bruyère doublée de jonc et d'une pierre percée pesant environ deux talents (22). On attache la claie avec une corde à l'avant de la barque et on la laisse aller au gré de l'eau. On attache la pierre à l'arrière avec une autre corde. La claie, emportée par la rapidité du courant, entraîne avec elle le baris — ainsi appelle-t-on cette sorte de navire — tandis que la pierre qui est à l'arrière gagne le fond de l'eau et sert à diriger sa course. Les Égyptiens, précise Hérodote, possèdent un grand nombre de barques de ce type, dont quelques-unes sont capables de porter une charge de plusieurs milliers de talents... »

Que ces « baris » aient été utilisés pour le transport de blocs de pierre de grandes dimensions ne fait aucun doute. Là encore, le témoignage d'Hérodote apparaît indispensable. Au livre CLXXV de ses *Histoires,* il évoque en ces termes les travaux d'Amasis : « On apporta aussi par son ordre des pierres d'une grosseur démesurée pour réparer le temple. On en tira une partie des carrières situées près de Memphis mais on fit venir les plus grandes de la ville d'Éléphantine que vingt journées de navigation séparent de Saïs... Mais ce que j'admire encore davantage, poursuit Hérodote, c'est un édifice d'une seule pierre qu'il fit apporter d'Éléphantine. 2000 hommes, tous bateliers, furent occupés pendant trois ans à son transport... » (23).

De telles précisions auraient dû mettre les archéologues sur la voie. Ainsi qu'on va le voir, il n'en a rien été.

II

L'imagination au pouvoir

1

Des « courtes pièces de bois » chez Hérodote...

Si les archéologues accordent tant bien que mal leur lyre sur le chapitre de l'extraction et de la taille des blocs, leurs avis divergent considérablement lorsqu'il s'agit de leur transport et de leur mise en place. Alors que les Égyptiens se sont plu à graver dans la pierre d'innombrables détails concernant leurs rites religieux, leurs exploits militaires et même des scènes de leur vie privée, ils sont restés étrangement muets sur l'édification des soixante pyramides qui jalonnent la lisière du désert depuis Memphis jusqu'au Fayoum. Si l'on suppose qu'ils n'ont pas délibérément choisi de garder secrets leurs procédés de construction, force est d'admettre que tous les bas-reliefs où ils avaient figuré le détail de leurs travaux ont irrémédiablement disparu ou n'ont pas encore été exhumés par les archéologues.

Les seuls documents à partir desquels on puisse tenter de les reconstituer sont dus à deux historiens grecs, Hérodote d'Halicarnasse et Diodore de Sicile. Le premier, venu enquêter en Égypte au ve siècle avant notre ère afin de retracer l'histoire de la lutte contre les Perses, a laissé de son passage au plateau de Guizeh un « reportage » dont on peut seulement déplorer qu'il ne soit pas plus explicite.

« Khéops, écrit Hérodote dans le Livre II de ses *Histoires*, a laissé derrière lui une œuvre colossale : sa pyramide... Il ordonna à tous les Égyptiens de travailler pour lui. Les uns se virent contraints de transporter jusqu'aux bords du Nil les énormes pierres extraites des carrières d'Arabie. D'autres devaient les charger sur des bateaux pour leur faire traverser le fleuve et les traîner jusqu'aux montagnes de Libye. Cent mille ouvriers, que l'on relayait tous les trois mois, étaient constamment présents sur le chantier. Il leur fallut dix années pour construire la chaussée sur laquelle les pierres furent transportées. Réalisée en pierres polies sur lesquelles sont gravés des dessins d'animaux, elle mesure 5 stades de longueur (888 m), 10 orgyies de large (17,70 m) et, à l'endroit de sa plus grande hauteur, 8 orgyies de haut (14,16 m) et représente un ouvrage presque aussi important que la pyramide elle-même. Dix ans, insiste-t-il, furent nécessaires pour construire cette chaussée ainsi que les chambres souterraines destinées à devenir le sépulcre de Khéops. Ces dernières furent réalisées sur le plateau où se dressent les pyramides, transformé en île par dérivation des eaux du Nil au moyen d'un canal. L'édification de la pyramide elle-même exigea vingt ans de travail. Sa base est un carré de 8 plèthres de côté (236,80 m) et elle a la même mesure en hauteur. Elle est faite de pierres polies assemblées avec le plus grand soin. Aucune d'elles ne mesure moins de 30 pieds (8,88 m)... » Hérodote relate ensuite la construction de la Grande Pyramide, fournissant au passage d'intéressantes précisions, sur les dépenses engagées, notamment. (24)

On apprend ainsi que les pierres nécessaires étaient extraites de la « montagne arabique », puis chargées sur des navires qui descendaient le Nil jusqu'à proximité du site choisi. Hérodote ne précise malheureusement pas de quelle façon les blocs étaient amenés à pied d'œuvre. Il rapporte seulement qu'ils étaient empilés jusqu'à constituer une succession de degrés donnant la forme générale de la pyramide. « Une fois la pyramide construite sous cette forme, ajoute-t-il, on portait le reste des pierres à l'aide de machines faites de morceaux de bois courts que l'on élevait du sol jusqu'au niveau de la première assise. Là, une seconde machine prenait le relais de la première et portait le bloc au niveau de la seconde assise où elle était prise en charge par une troisième. Car autant il y avait d'assises, autant il y avait de machines ; ou bien la même machine unique et facile à transporter était installée successivement sur chacune des assises après que le bloc en eut été retiré (nous devons en effet présenter la chose de deux façons comme on nous l'a présentée, précise Hérodote). » De cette manière, on achevait d'abord le sommet, puis on passait aux étages inférieurs et l'on finissait par le pied de la pyramide (25)...

Quatre siècles plus tard, Diodore de Sicile visite à son tour l'Égypte et, comme Hérodote, s'émerveille devant la pyramide de Khéops qu'à la suite de Philon de Byzance, il classe parmi les sept merveilles du monde (26). Lui aussi retrace la construction du monument. Sa description, qui se rapporte vraisemblablement à une autre phase des travaux, ne recoupe pas celle d'Hérodote. Elle ne la contredit pas non plus. « La pyramide de Khéops, note-t-il, est entièrement construite en pierres dures, difficiles à tailler mais que leur dureté rend éternelles. En effet, depuis au moins deux mille ans (quelques-uns admettent les chiffres de trois ou quatre mille), ces pierres ont conservé jusqu'à ce jour leur arrangement primitif et leur aspect. On les a, dit-on, fait venir d'Arabie et on les a disposées au moyen de terrasses car on n'avait pas encore inventé les machines. Ce qu'il y a de plus étonnant, ajoute Diodore, c'est que ce monument se trouve élevé au milieu d'un pays sablonneux où l'on n'aperçoit aucun vestige de terrasses ou de tailles de pierres, de sorte qu'il a été construit par quelque divinité au milieu d'une mer de sable. Quelques Égyptiens essaient d'expliquer ce miracle en affirmant que ces terrasses étaient constituées de sel et de nitre et qu'ayant été atteintes par les eaux du Nil, elles ont été dissoutes et ont disparu sans le secours d'aucune main-d'œuvre. Mais il est plus probable que ces terrasses ont été détruites par ceux-là mêmes qui les avaient mises en place. Le nombre d'hommes employés à ces constructions fut, dit-on, de 360 000 et leurs travaux étaient encore inachevés au bout de vingt années de travail... » (27)

Pas plus que la relation d'Hérodote, la description de Diodore n'apporte suffisamment de détails pour fournir la clé de la construction des pyramides. Entre les courtes pièces de bois du premier et les terrasses solubles du second restait assez de place aux archéologues pour déployer leur ingéniosité.

L'un des premiers à avoir avancé une hypothèse est Auguste Choisy. Professeur d'architecture, archéologue et ingénieur, A. Choisy est l'auteur de divers ouvrages dont l'un, *l'Art de Bâtir chez les Égyptiens*, paru en 1904, tentait d'apporter les éléments d'une solution. Selon lui, les blocs dont sont constituées les pyramides auraient été mis en place à l'aide de « chèvres » (*fig.* 8), sortes de potences composées de deux ou trois montants assemblés par le haut. Au point de jonction une poulie, à la partie inférieure un treuil mobile ou un cabestan tournant sur son axe permettaient d'actionner l'engin à

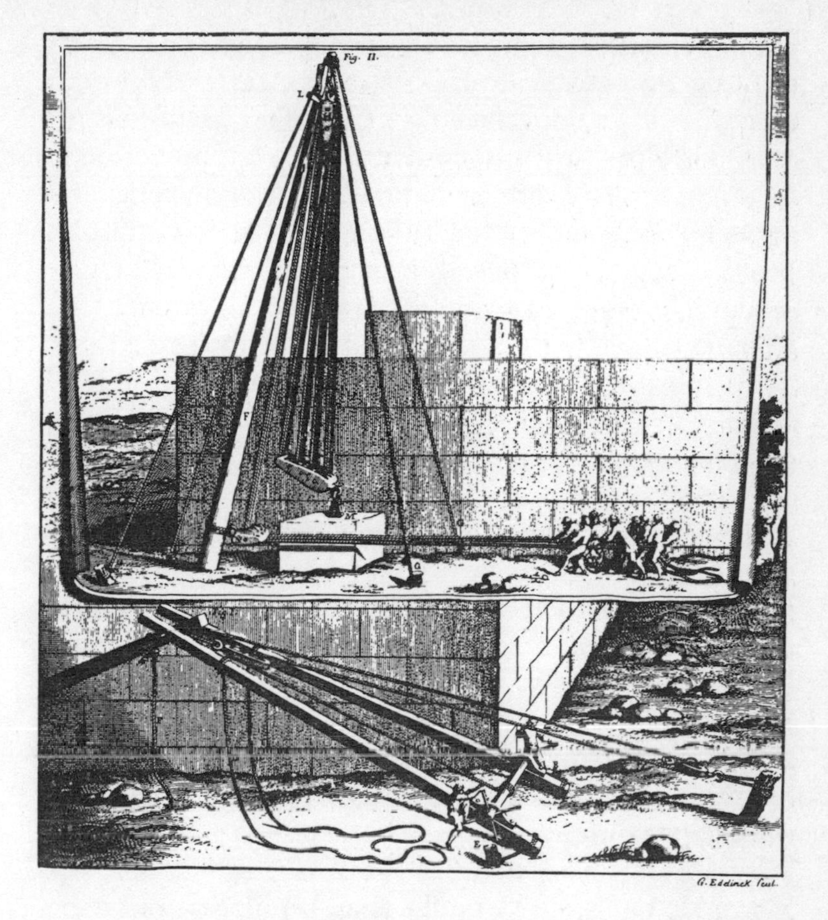

Fig. 8. Planche VIII du Xe livre d'architecture de Vitruve, dans l'édition publiée en 1684 par Claude Perrault. Ces « chèvres » auraient pu convenir au procédé de Choisy.

la force des bras, du moins pour des charges n'excédant pas quelques centaines de kilos. Il ne restait plus qu'à imaginer une succession de « chèvres » hissant allègrement les blocs de degré en degré jusqu'au niveau de la mise en place. Dans sa hâte d'apporter l'explication depuis si longtemps attendue, A. Choisy ne s'attardait pas à calculer que les montants de ses « chèvres » — dans le cas de la Grande Pyramide, ils auraient dû mesurer 6 mètres — n'auraient que fort peu ressemblé aux « courtes pièces de bois » dont Hérodote faisait état. Il ne s'attardait guère non plus à la difficulté des manœuvres d'amarrage et de reprise des blocs.

Plus grave encore de la part d'un archéologue, A. Choisy semblait complètement ignorer que les Égyptiens de l'Ancien Empire ne connaissaient pas l'usage de la roue dont découle celui de la poulie, ni, à plus forte raison, celui des techniques de démultiplication, telles que le treuil ou les moufles. En effet, si l'on suppose que les plates-formes de construction étaient exiguës, on suppose aussi qu'elles ne pouvaient accueillir qu'un nombre restreint d'ouvriers, et donc qu'une démultiplication appropriée compensait cette absence de bras. On a certes retrouvé dans le voisinage de la Grande Pyramide une sorte de poulie fixe, un bloc de pierre de forme semi-circulaire comportant une rainure le long de laquelle on peut supposer que venaient glisser des câbles préalablement graissés. Mais l'usage de la roue n'a fait son apparition en Égypte qu'à l'époque des invasions hyksôs (~ 1750-~ 1580) et celle-ci n'est pas représentée avant les peintures du tombeau de Kaemhesit, c'est-à-dire à l'époque du Nouvel Empire. Encore son emploi se limitait-il alors aux chars de combat introduits en Égypte en même temps que le cheval, à l'époque des campagnes de Syrie. Le grand navire des pyramides, de même que les maquettes de bateaux retrouvées dans certaines tombes et diverses représentations où figurent des navires apportent, s'il en est besoin, une preuve supplémentaire que la poulie n'existait pas : les cordages qui permettent de hisser les voiles coulissent toujours dans des pièces de bois percées. En fait, les seuls outils de manutention qu'aient possédés les anciens Égyptiens se limitent au levier, au rouleau cylindrique ainsi qu'à quelques chèvres rudimentaires. Dans ces conditions, l'hypothèse d'A. Choisy devait résolument être rejetée pour anachronisme. Elle ne l'a pas été et d'éminents archéologues s'en sont fait, s'en font encore les défenseurs.

Ainsi l'architecte allemand Uvo Hölscher qui, en 1912, relança l'idée d'échafaudages en sapines. U. Hölscher avait constaté dans les pierres de construction et les dallages de la pyramide la présence de trous et d'encoches que l'on explique aujourd'hui par la nécessité de fixer les cordages et de maintenir les chevalets pour le cordeau des géomètres. Lui crut y reconnaître des cavités pratiquées pour bloquer les montants de ses échafaudages. Par ailleurs, il imagina un système aussi complexe que peu fiable de pinces de levage destinées à accrocher le haut des blocs. Enfin, il ne pouvait lui non plus se passer de faire appel aux anachroniques poulies et à leurs accessoires.

Malgré cela, Hermann Strubb-Roessler revint à la charge en 1952 avec une variante améliorée du procédé de A. Choisy (*fig.* 9, p. 58). Solidement ancrées sur les gradins de la pyramide en cours de construction, les sapines de H. Strubb-Roessler étaient maintenues depuis le sol, de plus en plus loin dans le désert à mesure qu'avançait la construction, au moyen de très longues cordes de fixation — deux cents mètres —

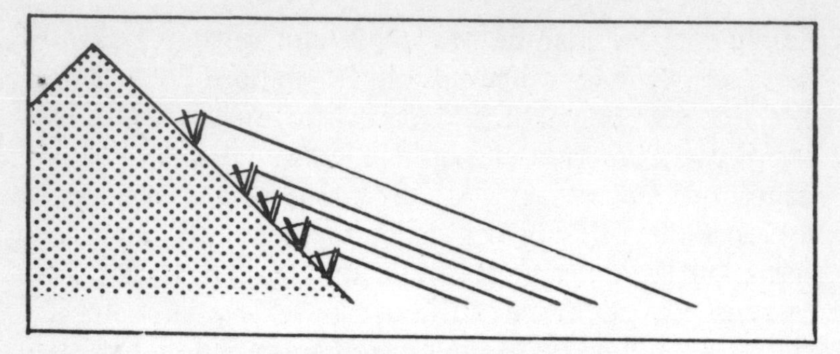

1. Sapines ancrées sur les gradins
et maintenues au sol par des cordes.

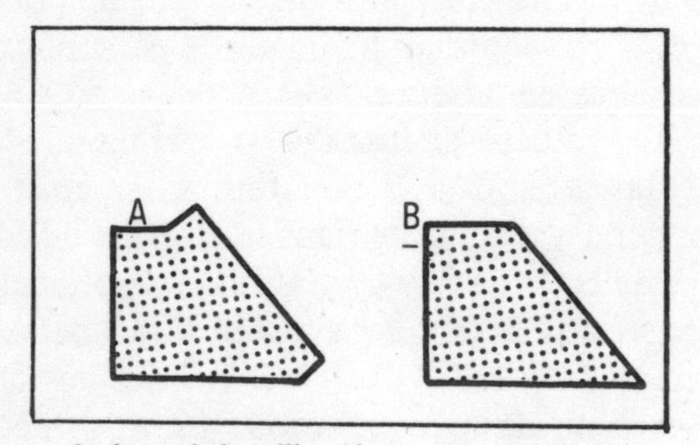

2. A serait la taille exigée par ce système.

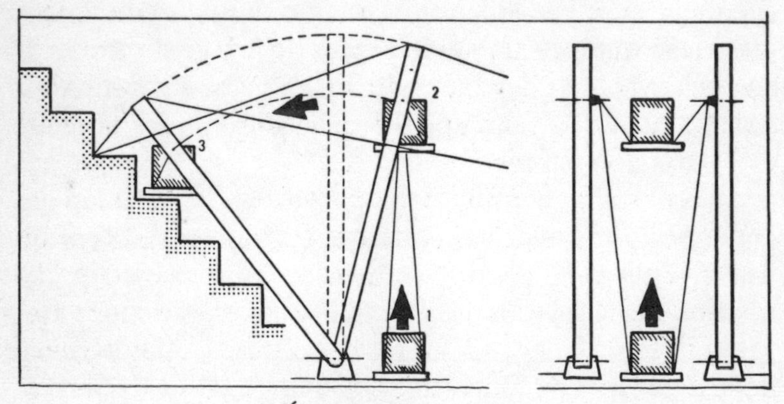

3. Élévation et translation.

Fig. 9. Le système préconisé par Strubb-Roessler

lorsque le niveau de travail atteint cent mètres de hauteur ! L'inextricable enchevêtrement de cordages qu'implique l'hypothèse de H. Strubb-Roessler laisse quelque peu perplexe. A cela s'ajoute un inconvénient majeur qui semble avoir complètement échappé à l'auteur : celui d'exiger des blocs de revêtement dont les arêtes aient été préalablement biseautées, alors qu'en fait, elles ont la forme de B.

En 1975 encore, un membre de la section d'archéologie du C.N.R.S., Jean-Pierre Adam, a proposé une explication faisant appel à des dispositifs mis au point par Vitruve au Ier siècle av. J.-C. et repris pendant la Renaissance par des architectes tels que L.-B. Alberti et Palladio. Ce faisant, il réutilise en les amalgamant — mais en cumulant du même coup leurs impossibilités techniques — les idées de A. Choisy, de U. Hölscher et de H. Strubb-Roessler (*fig.* 10, p. 60). Grâce à lui, les constructeurs des pyramides se voient généreusement dotés de treuils, de cabestans, de moufles dont nous avons maintenant la certitude qu'ils n'existaient pas à l'époque. Leurs blocs étaient retenus à l'aide de pinces réalisées en un métal résistant dont il oublie seulement de nous révéler la nature. Enfin leur tâche se trouve simplifiée par les lanières qu'il prend soin d'accrocher sur les leviers du cabestan pour augmenter la force de traction. On s'étonne que Jean-Pierre Adam n'ait pas songé à mettre à profit la tortue d'Hegetor, l'Helepole, la machine de Ctésibios, le pont volant de Dades ou quelque engin mécanique de Héron d'Alexandrie, pourtant tous antérieurs aux systèmes de Vitruve et qui eussent entraîné un moindre mal pour la vraisemblance chronologique !

L'ingéniosité des archéologues ne s'est pas limitée aux « chèvres » et sapines que nous venons de décrire.

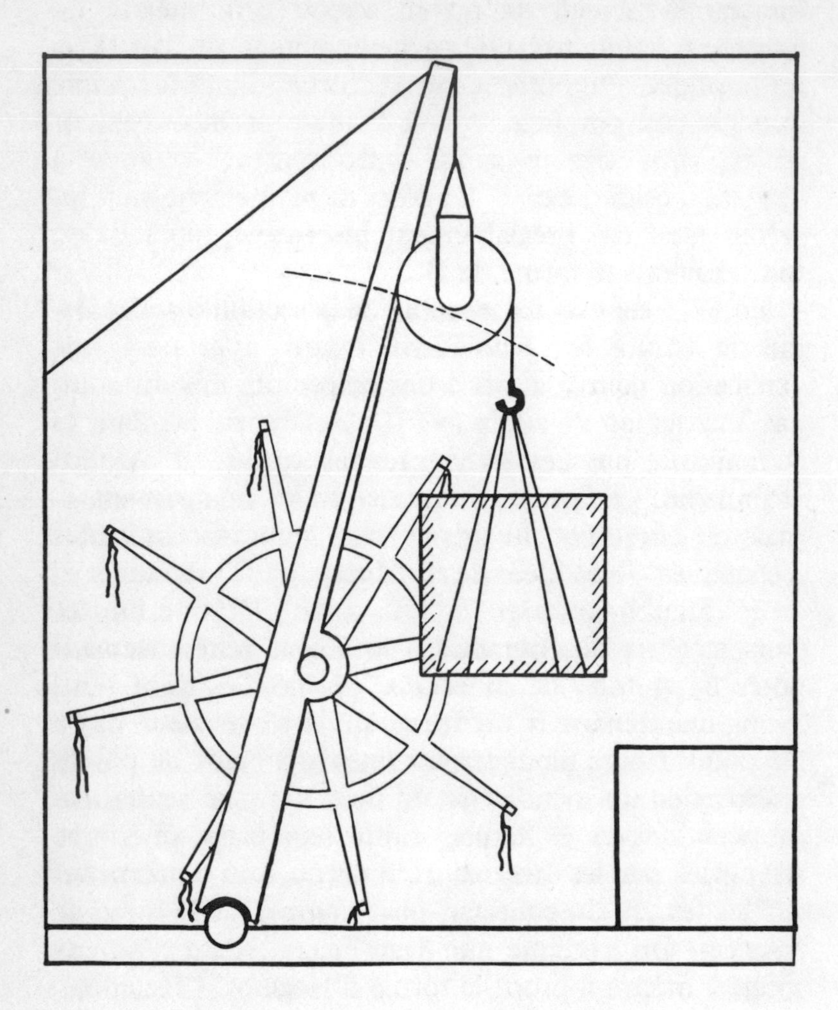

Fig. 10. Système de cabestan imaginé par J. P. Adam.

On ne sait s'il en avait finalement mesuré l'inefficacité, mais quelques années plus tard, A. Choisy proposa avec Legrain un autre procédé connu sous le nom d'ascenseur oscillant (*fig.* 11, p. 62), conçu sur le modèle de pièces découvertes par Champollion dans des fossés de fondations. L'appareil, dont on suppose aujourd'hui qu'il n'était qu'une sorte de cintre ou de forme comme en utilisent les maçons et qui introduisait d'ailleurs une nouvelle erreur chronologique puisqu'il datait de la période du Nouvel Empire, se composait de deux portions de cylindres de bois reliées entre elles par des entretoises, qui lui donnaient l'aspect d'un traîneau à patins courbes. Une fois le bloc hissé (par des moyens que A. Choisy laissait à deviner) sur ce traîneau et fixé à l'aide de cordages, il suffisait selon A. Choisy et Legrain d'une simple poussée pour imprimer un mouvement de bascule. A chaque oscillation, on se hâtait de caler l'ascenseur à l'aide d'un madrier et l'on parvenait ainsi à élever la charge de quelques centimètres puis de gradin en gradin. Parvenu au sommet — A. Choisy négligeait de préciser au bout de combien... d'années ! — il ne restait plus qu'à libérer le bloc, selon une méthode indéterminée... On reste confondu qu'un esprit sérieux ait pu envisager la mise en place de plus de 2 millions de blocs à l'aide de semblable gadget. Tout au plus A. Choisy reconnaissait-il que la profondeur de chaque gradin lui paraissait insuffisante pour permettre la manœuvre de ses ascenseurs. Aussi n'aurons-nous nul scrupule à les reléguer au magasin des accessoires inutiles de l'archéologie.

Il en va de même pour les chadoufs proposés par l'ingénieur allemand Louis Croon en 1925 (*fig.* 12, p. 63). Pour puiser l'eau, les fellahs se servent encore de longues perches articulées sur un pivot constitué d'un

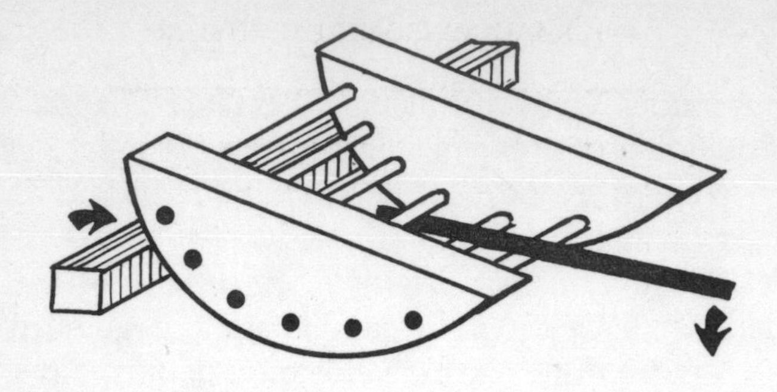

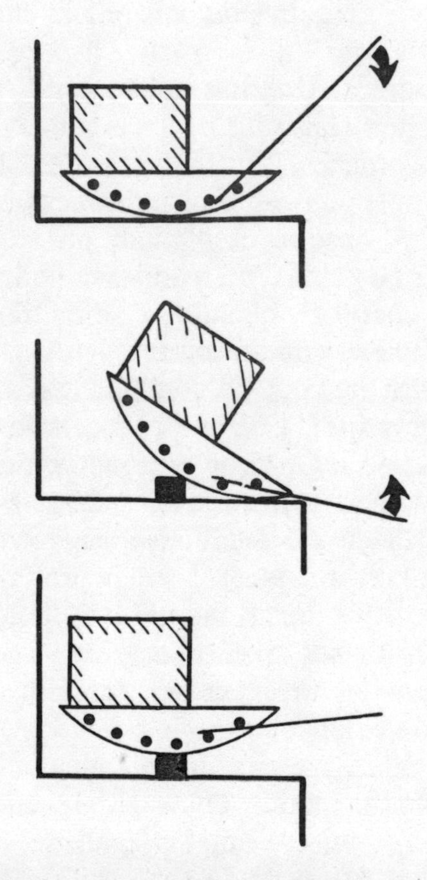

Fig. 11. L'ascenseur oscillant de Legrain et Choisy.

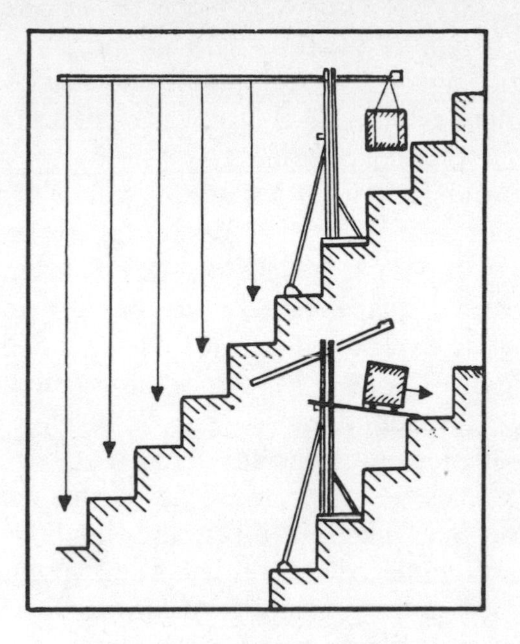

Fig. 12. Chadouf de Croon.

pieu en bois. A partir de ce procédé de levage, L. Croon imagine un appareil élévateur fait d'une poutre pivotant dans un plan vertical autour d'un axe horizontal excentré. Selon lui, « le bloc devait être fixé à la partie courte du levier tandis que, sur la partie longue, un certain nombre d'hommes faisaient contrepoids, suspendus à des brins de cordes. Arrivé à la hauteur de l'assise supérieure, le bloc était glissé sur une épaisseur de madriers. L'opération était répétée de gradin en gradin ». En l'absence de fixation au sol, un homme suspendu à une corde ne peut exercer une force supérieure au poids de son corps. Si l'on admet que le poids moyen d'un homme se situe aux environs de 70 kilos, il aurait donc fallu 35 hommes pour contrebalancer un bloc de 2,5 t. Dans le cas de charges de

40 tonnes, ce n'est pas moins de 560 hommes qu'il faut imaginer dangereusement agrippés au-dessus du vide ! Que les liens retenant la charge viennent à se rompre et l'engin se serait transformé en catapulte projetant ces grappes humaines dans l'espace. A cela s'ajoutent des impossibilités mécaniques évidentes telles que la section et la longueur des perches servant de balancier. Même si l'on substitue aux hommes des paniers remplis de pierres, cette explication paraît tout aussi délirante.

La fantaisie la plus échevelée semble également avoir inspiré la solution proposée par Samivel. Ce dernier suppose que les Égyptiens auraient pu établir sur un ou plusieurs côtés de la pyramide des sortes de glissières parallèles. Sur celles-ci, un grand tambour de bois disposé au sommet, deux traîneaux se font contrepoids, à la manière d'un funiculaire primitif. Tandis que le bloc à élever est placé sur le traîneau inférieur (là encore selon une méthode qui n'est pas indiquée), l'autre traîneau reçoit son contrepoids humain. Une cinquantaine d'hommes, estime l'auteur, suffisent pour contrebalancer le poids des petits éléments. Mais il ne se risque pas à évaluer les effectifs nécessaires dans le cas d'un bloc de 50 tonnes. Il n'explique pas non plus de quelle manière les blocs étaient déchargés une fois parvenus au sommet, ni la façon de les faire circuler et de les positionner au sein même de la pyramide. Aussi le funiculaire de Samivel fait-il également partie des hypothèses qu'il convient d'abandonner.

Dans ces conditions, on se trouve ramené au système classique du traîneau qui, à la différence des précédents, trouve sa justification dans la fameuse fresque de Djouti-Hetep à Deir el Bercheh (*fig.* 13, p. 65). Ainsi que je l'ai indiqué en commençant, c'est tout naturellement vers elle que mon esprit s'est reporté lorsque j'eus à résoudre un problème de transport du même genre. Aussi convient-il d'analyser de plus près cette représentation célèbre.

4 rangées de 43 hommes sont préposés à la traction du traîneau auquel est arrimé le colosse assis. En haut de la composition, 7 groupes de 11 hommes représentent sans doute une équipe de relève dont font peut-être également partie les 9 hommes attendant derrière la statue. Au pied de cette dernière, un homme jette de l'eau ou de l'huile sous l'avant du traîneau de façon à favoriser le glissement des patins. 3 porteurs d'eau figurés sous le colosse sont prêts à lui fournir les réserves nécessaires sous le contrôle de 3 surveillants armés de bâtons. Enfin, les ordres donnés par le contremaître chargé de rythmer la manœuvre — contremaître que l'artiste a placé sur le genou du colosse —

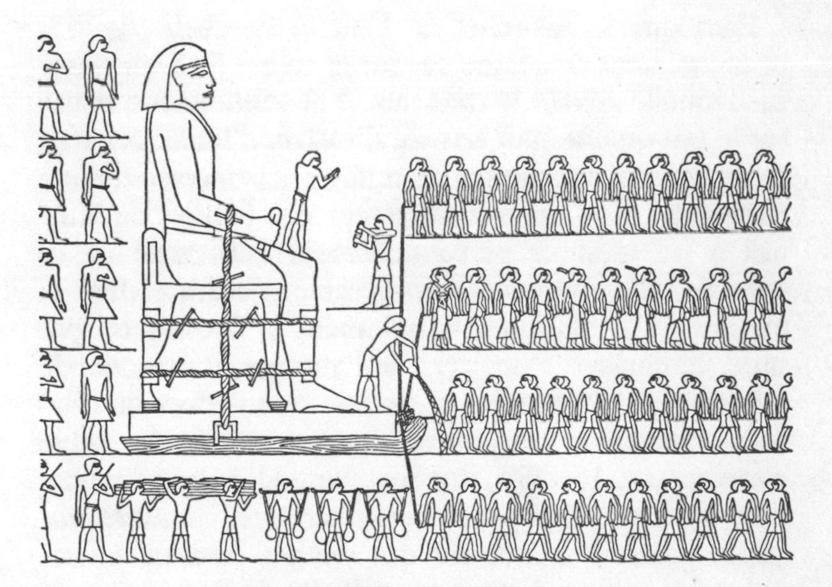

Fig. 13. Tombeau de Djouti-Hetep.
(D'après le relevé de P. E. Newberry.)

sont transmis par l'instrument à percussion que tient le personnage placé au-dessous de lui. Quant à la massive crémaillère que portent les trois hommes représentés entre les porteurs d'eau et les surveillants, Jean-Pierre Adam y voit le levier destiné à l'ébranlement qu'il est nécessaire d'imprimer au moment du départ du convoi afin de vaincre une masse d'inertie considérable. Si l'on s'en tient à la textualité de cette représentation, c'est 172 hommes qui ont à tirer une masse qu'en l'absence d'une échelle unique (on notera que les personnages représentés sont de deux et même trois tailles différentes), on évaluera approximativement à 50 tonnes. Ils déplaceraient le colosse au moyen de 4 câbles accrochés à l'avant du traîneau. En supposant que l'effort soit parfaitement coordonné, cela signifie que chacun d'eux doit déplacer un peu moins de 300 kilos (290 pour être précis).

Bien que le bas-relief de Deir el Bercheh (*fig.* 13, p. 65) ne nous renseigne pas sur la nature de la chaussée sur laquelle glissait le traîneau, il ne laisse aucun doute sur le fait qu'elle était arrosée d'eau ou d'huile. A partir de cette représentation et de celle de la princesse Idout à Saqqarah, M. Chevrier, directeur des fouilles de Karnak a pu mesurer personnellement l'efficacité de ce procédé (28). Quoique théoriquement efficace dans la mesure où il diminue sensiblement la friction et, par suite, le nombre d'ouvriers de l'attelage, il présente de redoutables inconvénients dès lors que l'effort de traction s'exerce le long d'une pente, même de faible pourcentage. En effet, une fois ébranlé, le lourd monolithe devient difficilement contrôlable et, en admettant qu'on puisse le hisser sur des rampes rendues savonneuses, il semble à l'inverse difficile de l'empêcher de les dévaler. La moindre fausse manœuvre sur l'une des pistes de la pyramide produirait une glissade tragique qui emporterait tout sur son passage, en disloquant les théories de traîneaux, et en écrasant des hommes. Cette éventualité n'a pas suffi à détourner les archéologues de l'hypothèse de la traction sur des traîneaux.

C'est ainsi que dix ans après mon échec mosellan, J.-P. Mohen a tenté, à Bougon, une expérience dont les résultats serviront de référence à toutes mes démonstrations. Il s'agit de faire tirer en terrain plat par une équipe de 200 hommes une charge de 32 tonnes. Après avoir pris soin de reconstituer un bloc semblable par ses dimensions à ceux que les Égyptiens étaient parvenus à déplacer, on mit en place un attelage de 200 hommes et l'expérience commença. Elle donna lieu à un reportage télévisé qui permit au grand public de participer à l'exploit. Les difficultés se révélèrent énormes, les rendements obtenus très faibles. J.-P. Mohen rencontra les mêmes problèmes que ceux auxquels je m'étais heurté en Moselle : bien que le terrain choisi pour l'expérience fût plat, les rondins se mettaient en travers les uns après les autres et il fallut à plusieurs reprises replacer le bloc sur son porteur afin de pouvoir poursuivre. Tant bien que mal, l'expérience fut néanmoins réalisée. Est-il besoin de dire que les conclusions qu'on en tira se révélèrent rien moins que satisfaisantes !

Plutôt que de nous livrer à de longs commentaires techniques sur l'expérience réalisée par J.-P. Mohen, nous prendrons un détour en évoquant le transport sur des distances pouvant atteindre quelques centaines de kilomètres d'un de ces superbes obélisques encore en place dans les carrières d'Assouan. Pour nous mettre en forme, si j'ose écrire, commençons par extraire de l'écrin qui l'enserre une de ces énormes masses de granit de 1 200 tonnes... je dis bien 1 200 tonnes : 1 200 000 kilos.

Ni les chèvres de A. Choisy ni les sapines de H. Strubb-Roessler, ni les chadoufs de L. Croon, ni l'ascenseur oscillant du même Choisy, ni le système vitruvien de J.-P. Adam, ni le funiculaire de Samivel ne paraissant appropriés, cependant — à propos des herses de granit dont l'encombrement et le poids sont infiniment plus modestes, Georges Goyon lui-même avoue son embarras ! — offrons-nous le luxe de supposer le problème résolu ! Reste tout de même au J.-P. Mohen des temps pharaoniques à organiser son transport.

Compte tenu qu'à Bougon, 200 hommes ont été nécessaires pour déplacer 32 000 kilos, les 1 200 000 kilos du monolithe dont il doit prendre livraison à Assouan le placent devant la nécessité de mobiliser une armée de... 7 500 hommes. Suivant l'exemple de la fresque de Deir el Bercheh, le maître d'œuvre répartit ses haleurs en 4 files de... 1 875 hommes entre chacun desquels il lui faut raisonnablement prévoir un espace d'un mètre afin de leur permettre de déployer leur force optimale. En conséquence, il doit également prévoir 4 câbles de 1 875 mètres de longueur au bout duquel sera accroché le monolithe. Il lui faudra également coordonner les mouvements de sa troupe en donnant ses ordres par le relais d'un instrument à percussion suffisamment puissant pour être entendu à 1 875 mètres de distance. Bien plus, le son ayant accoutumé, dès l'époque pharaonique, de se propager à la vitesse de 340 mètres à la seconde, les haleurs de tête ne l'entendront que cinq secondes plus tard ! Encore n'étaient-ce là que des incommodités mineures qu'il pouvait surmonter aussi longtemps que la piste restait rectiligne ou, s'il s'agissait d'un plan incliné, que la pente en était *uniforme*. Si malheureusement le convoi rencontrait une rupture de versants (*fig.* 14), un frottement se produi-

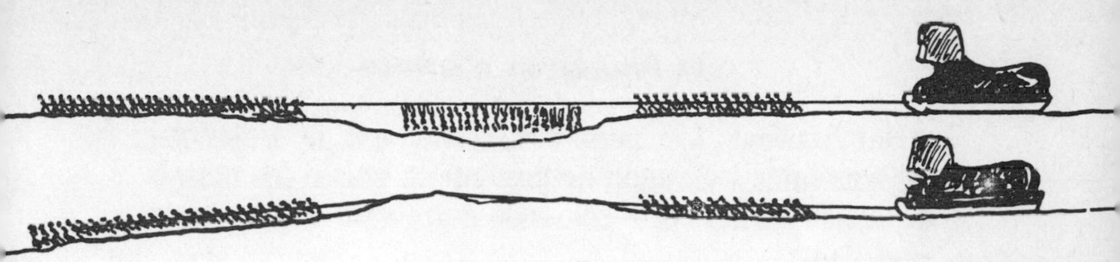

1. Rupture de versant concave. 2. Rupture de versant convexe.

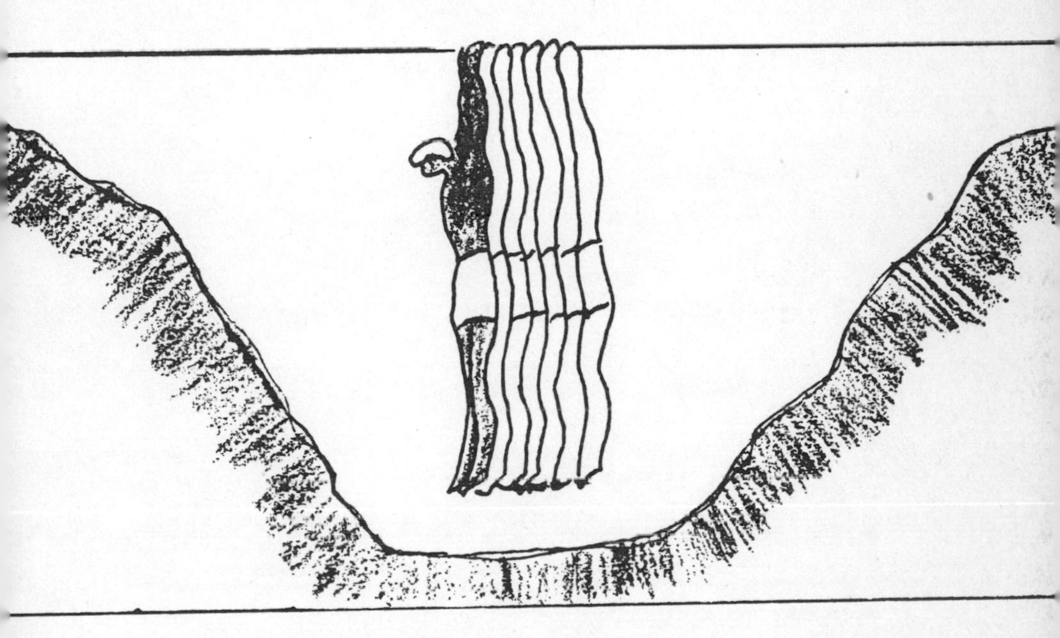

Fig. 14 L'hypothèse du traîneau.

sait bientôt sur la partie centrale, entraînant l'usure rapide des câbles de tirage... et l'épuisement des haleurs de tête. Si le convoi traversait au contraire un terrain dont le vallonnement était concave, les haleurs du centre pouvaient prendre un repos bien gagné en restant suspendus au câble que tendaient à grand-peine leurs compagnons placés en tête et en queue de l'attelage (29). Mais redevenons sérieux ! Les documents sont formels : il a fallu sept mois aux Égyptiens pour tailler, transporter et mettre en place les obélisques d'Hatchepsout. On peut être assuré que la technique expérimentée à Bougon ne leur eût en aucun cas permis de mener à bien cette colossale entreprise en un temps aussi court.

2

Des terrasses chez Diodore

On peut penser qu'une expérience comme celle de J.-P. Mohen aurait inspiré certaines réflexions aux historiens et archéologues. Il n'en est rien et ceux-ci restent imperturbablement attachés à leurs traîneaux : l'hypothèse d'attelages humains tirant les lourds monolithes le long de chaussées, préalablement arrosées d'eau ou d'huile, continue d'être présentée comme allant de soi dans tous les ouvrages d'égyptologie ainsi que dans tous les ouvrages scolaires. Celle des rampes en découle puisque les traîneaux, qui ont allègrement traversé le désert, doivent bien un jour entreprendre l'escalade des monuments en construction. Ainsi qu'on va le voir, les choses se compliquent quelque peu s'il s'agit d'un monument de grande dimension comme la pyramide de Khéops.

La pose de la première assise ne suscitera pas de problème particulier, chaque attelage abandonnant son bloc à l'emplacement prévu. La première assise étant en place, il conviendra de l'entourer de sable de façon à permettre aux traîneaux d'aller installer les blocs de la seconde. Celle-ci étant à son tour entourée de sable, les traîneaux accéderont au niveau de la troisième et ainsi

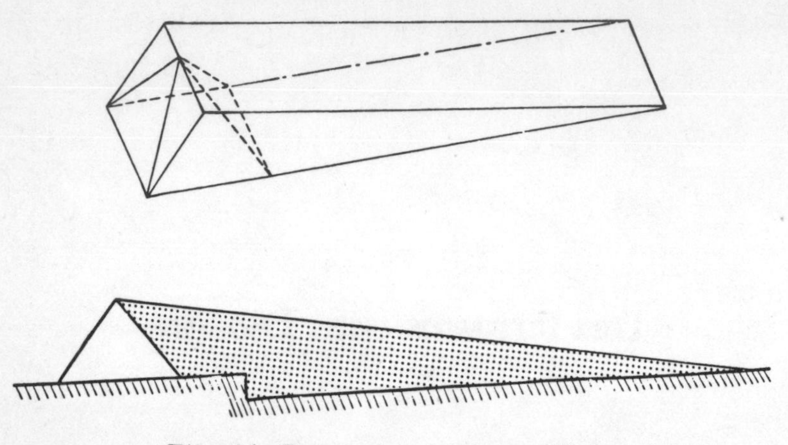

Fig. 15. Rampe imaginée par Flinders Petrie (1853-1942).

de suite. A la fin des travaux, il ne restera plus qu'à déblayer la montagne de sable en forme de cône (d'où n'émergera, en haut, que le pyramidion) dont le diamètre à la base atteindra près de 3 kilomètres, soit un volume total de 10 millions de mètres cubes, plus de quatre fois le volume de la pyramide elle-même ! Et encore ! La pente qu'auraient eu à escalader les traîneaux aurait alors atteint 10 % ce qui représente la pente maximale admissible, selon Georges Goyon, si l'on prétend tirer un fardeau sans de trop grands efforts et surtout sans danger en cas de recul. Pour plus de prudence, il n'eût pas fallu dépasser une pente de 5 à 6 %, ce qui correspond à un angle de 3 à 4°, mais le volume du cône de sable eût, quant à lui, atteint des chiffres déraisonnables. Si ardente qu'ait été la foi des anciens Égyptiens, elle n'aurait sans doute pas suffi à soulever une pareille montagne chaque fois qu'un pharaon songeait à sa dernière demeure. On n'abandonna pas pour autant l'explication par les rampes.

C'est ainsi que Flinders Petrie envisagea la construction d'un plan incliné sur une seule face de la pyramide (*fig.* 15). Mais outre la difficulté de maintenir en place avec un matériau aussi meuble que le sable une masse de cette importance, on atteignait encore avec 315 mètres de largeur au pied de la pyramide, sur une longueur de 3 332 mètres, un volume tel que celui de la pyramide aurait compté comparativement pour peu de chose ainsi que l'a noté Georges Goyon.

Deux tronçons de ce qui semble une ancienne voie en briques crues, situés dans l'alignement d'un « défoncement inexplicable » situé sur la face est de la pyramide de Meïdoum, ont mis l'ingénieur allemand L. Borchardt sur la voie de sa rampe perpendiculaire en brique crue qui se serait ancrée directement sur le flanc de la pyramide (*fig.* 16, p. 73). Bien qu'exigeant la mise en œuvre d'un moindre volume de matériaux, le système

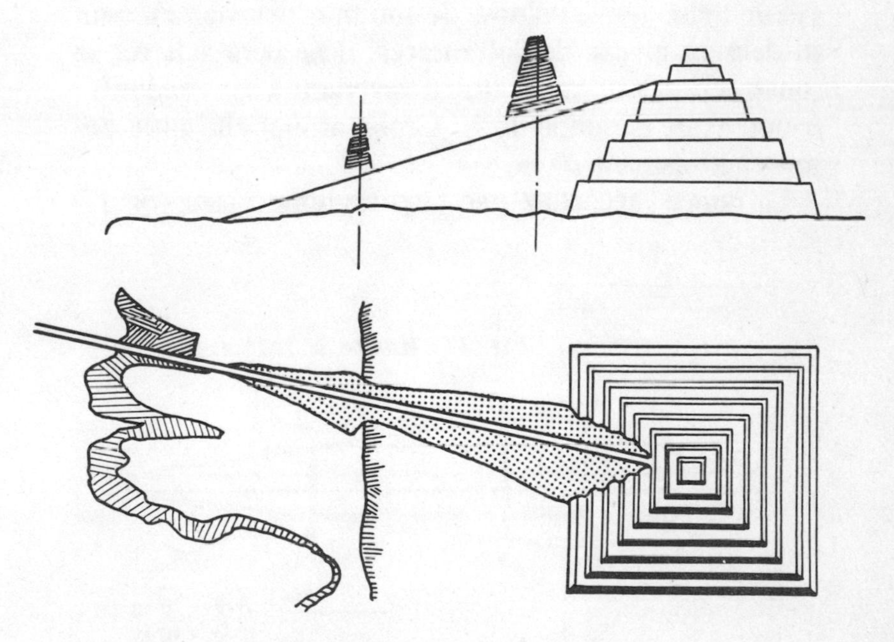

Fig. 16. Rampes de Borchardt.

de L. Borchardt se traduisait par une pente à faire frémir Georges Goyon : 41,5 % ! Appliqué à la pyramide de Khéops, il eût donné une longueur de rampe de 3 391 mètres et une pente de plus de 23 %. De plus, il n'exclut pas la nécessité de reprendre la voie sur toute sa longueur après la pose de chaque assise.

L. Croon, qui fut l'un des premiers à rejeter les ascenseurs oscillants en invoquant qu'il en aurait fallu 3 500 — chiffre inacceptable — pour que le système pût fonctionner, s'est lui aussi intéressé aux rampes de travail appuyées sur un flanc de la pyramide. Après avoir écarté le système de L. Borchardt sous prétexte qu'il aurait fallu trente-trois ans pour le construire, il propose pour sa part une rampe évolutive prévoyant l'allongement progressif de la rampe par adjonction d'une couche supplémentaire à chaque assise. Mais s'étant avisé que le volume de son mur devenait excessif au-delà du niveau de 100 mètres, il ne peut achever sa construction autrement qu'en revenant à ses chadoufs ! A noter que la rampe de L. Croon atteint elle aussi des pentes avoisinant 20 %.

La rampe préconisée par Jean-Philippe Lauer (*fig.* 17)

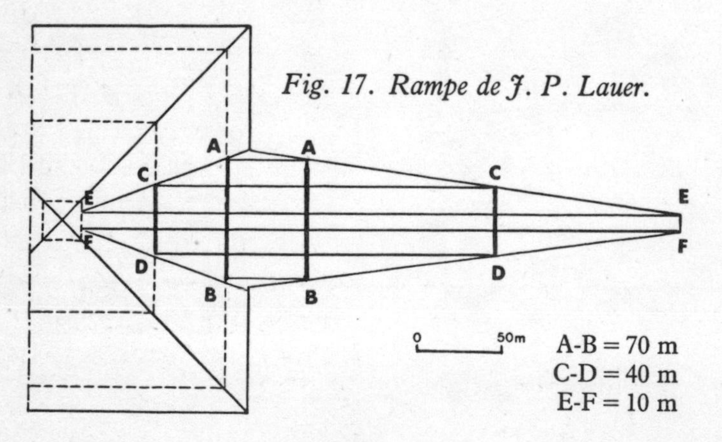

Fig. 17. Rampe de J. P. Lauer.

a pour seule originalité une largeur variable qui va se rétrécissant progressivement à ses deux extrémités (base atteignant 70 mètres dans son assise la plus large) tout en assurant une voie de traction de largeur constante (10 mètres). Plus économique que les autres rampes d'accès perpendiculaires puisqu'elle n'exige que 500 000 mètres cubes de matériaux de remblai, elle présente comme elles une pente excessive — J.-P. Lauer reconnaît d'ailleurs en toute honnêteté qu'elle se prêtait mal au passage des gros monolithes — et se révèle inapplicable dans la construction des derniers mètres. Pour permettre le passage de 4 files de haleurs et le retour des traîneaux vides, Georges Goyon impose en effet une largeur minimale de 15 mètres. G. Goyon ne semble pas très convaincu lui-même par l'artifice qu'il suggère — une plate-forme additionnelle à 7 mètres du sommet — pour satisfaire à cette exigence. A ce stade de sa démonstration, il juge plus prudent d'abandonner la solution au génie inventif des anciens Égyptiens !

De l'existence des rampes verticales, il n'existe aucune preuve, ce qui, en termes d'archéologie, signifie qu'aucun vestige n'en a jamais été retrouvé, du moins au voisinage des pyramides. Sans doute en a-t-on utilisé de semblables à Tourah et à Ma'sarah — mais uniquement pour des travaux de carrières. De même à Abou-Gourab où la cour du temple solaire comporte 6 rampes ; à Karnak, où l'une des faces du premier pylône porte la trace d'une rampe ; de même au sud de la pyramide de Khéphren, auprès du temple funéraire... Elles ne s'apparentent en aucune manière aux volumineuses rampes que nous venons d'évoquer et qui n'ont sans doute jamais existé que dans l'imagination d'archéologues et d'historiens tenaillés par le besoin de fournir à tout prix une explication.

Des rampes verticales, trop exigeantes en matériaux et trop pentues, on en est logiquement venu aux rampes parallèles aux faces de la pyramide. Accrochées directement au monument, elles autorisent une plus grande longueur et une moindre pente. L'Allemand Uvo Hölscher est l'un des premiers à s'être engagé dans cette voie en proposant d'accrocher contre l'une des faces de la pyramide de courts massifs de brique crue (*fig.* 18). Repris par D. MacCaulay, quelques années plus tard, ils ne semblent guère applicables qu'à des pyramides à degrés composées de blocs de petite taille, en raison de leurs dimensions — trop courtes puisque limitées à la largeur de la pyramide — et de leur pente encore trop forte. Par ailleurs, les auteurs semblent avoir envisagé de rendre leurs chaussées plus glissantes grâce à des traverses de bois sans expliquer de quelle manière celles-ci étaient serties à la surface de leurs chaussées. En 1978, des expérimentateurs japonais opérant pour une chaîne de télévision, entreprirent de construire par ce moyen une petite pyramide de 11 mètres de hauteur. Leur échec fut total. « Si les pharaons avaient contruit les pyramides à la japonaise, observa un journaliste égyptien qui assistait à l'expérience, les blocs de granit leur seraient tombés sur la tête. »

Abandonnant ses anachroniques treuils, cabestans et moufles pour revenir au classique traîneau, Jean-Pierre Adam propose une variante du procédé de U. Hölscher et de D. MacCaulay : les rampes alternées (*fig.* 19, p. 77). Sans convaincre cependant, car là encore les problèmes de pente sont escamotés et les halages en bout de piste inexpliqués.

Dans la maquette réalisée par l'archéologue Dows Dunham, assisté de l'ingénieur W. Vose pour le musée des Sciences de Boston, les rampes enlacent le monu-

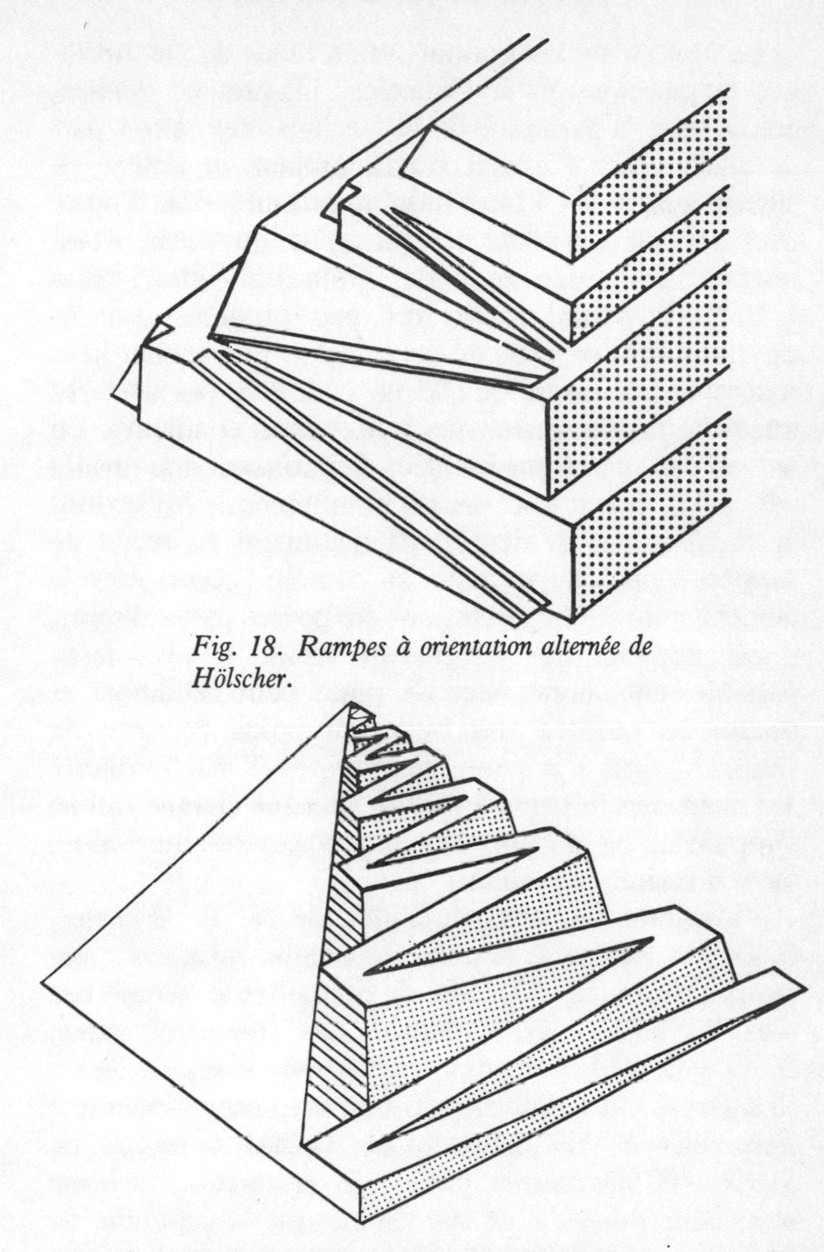

Fig. 18. Rampes à orientation alternée de Hölscher.

Fig. 19. Rampes à orientation alternée de J. P. Adam.

ment tout en s'y incorporant selon l'idée de l'archéologue britannique N. F. Wheeler. D'après ce modèle, étudié pour la pyramide de Mykérinos, une rampe part de chacun des 4 angles du monument et s'élève en zigzags autour des 4 faces juqu'au sommet, trois d'entre elles servant à monter les blocs, la quatrième étant réservée à la redescente des traîneaux vides. Selon I. E. S. Edwards, il est très peu probable que les Égytiens aient procédé de cette façon. En premier lieu, remarque-t-il, parce qu'elle ne concorde pas avec les traces de rampes retrouvées à Meïdoum et ailleurs. En second lieu, parce que les blocs de parement non ravalés tels qu'on en voit à la base du monument de Mykérinos ne formant pas de degrés, ils n'auraient pu servir de support à une rampe ; enfin si, comme l'observation le donne à penser, les pierres ont été posées par le devant, il est douteux que le gradin, même le plus large possible, eût donné assez de place pour décharger et mettre en position des blocs du poids de ceux de Guizeh. Jointe à la pente des rampes (8 %), l'exiguïté des chaussées (à peine 3 mètres puisque chaque rampe s'appuie sur les gradins sous-jacents) conduit inévitablement à rejeter ce système.

S'inspirant lui aussi de l'idée de N. F. Wheeler, G. Goyon adopte le système hélicoïdal mais avec une rampe unique (*fig.* 20). Afin de permettre le passage des files de haleurs et le retour des traîneaux vides, G. Goyon a prévu des chaussées assez larges : 15 mètres, soit l'équivalent d'une autoroute moderne à cinq voies de circulation ! Cela l'oblige à mettre en œuvre 400 000 mètres cubes de matériaux, volume acceptable puisqu'il ne représente que le septième de celui de la pyramide. De plus, cette rampe unique ne l'oblige pas à changer de pente à mesure que la

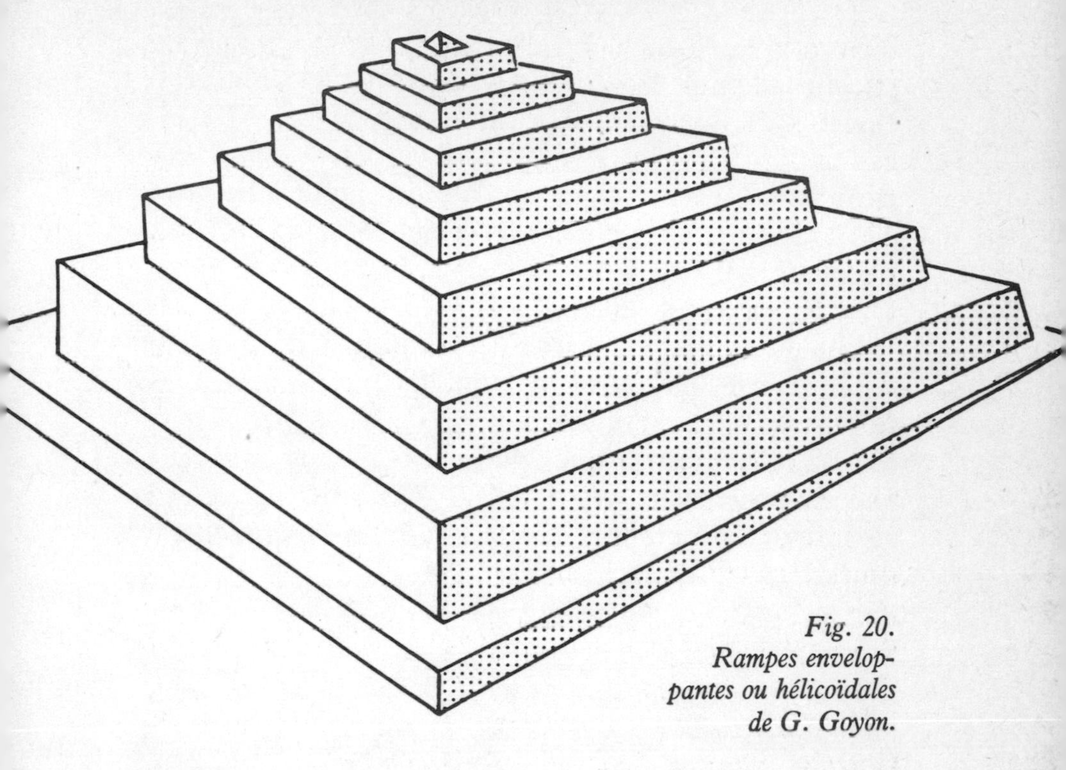

Fig. 20. Rampes envelop-pantes ou hélicoïdales de G. Goyon.

construction s'élève (comme c'est le cas pour les rampes perpendiculaires) et G. Goyon, très attentif à ce problème, a veillé que cette pente soit compatible avec un effort soutenu tout en ne permettant pas le recul des traîneaux et de leur chargement. Il a adopté 5 % avec un maximum de 7,5 %. Le secret des bâtisseurs résidait-il dans la rampe enveloppante de G. Goyon ? Un rapide calcul à partir des données de l'auteur ne tarda pas à me convaincre que les difficultés les plus graves l'attendaient... aux tournants.

Supposons que nous ayons à tirer selon le système de G. Goyon (largeur de rampe : 15 mètres ; pente à gravir : 5 %) un monolithe de 40 tonnes, soit par l'ensemble l'une des pierres qui coiffent la chambre funéraire de Khéops. En ne tenant pas compte, pour simplifier les calculs, des forces de frottement, l'effort à déployer est donné par la formule (*fig.* 21) :

$$F = P \sin \alpha$$

dans laquelle P est le poids du monolithe soit 40 000 kilos et l'angle que fait la rampe avec le sol soit 3°3 ($\sin \alpha = 0{,}061$) d'où :

$$F = 40\,000 \times 0{,}061 = 2440 \text{ kg.}$$

Si l'on adopte pour mesure moyenne de la force déployée par un homme celle que fournit l'Administration des Travaux Publics pour le halage des péniches, soit 12 kilos, on voit que 2440 : 12 = 203 hommes sont nécessaires, chacun tirant 40 000 : 203 = 197 kg, ce qui représente un peu plus que la référence expérimentale fournie par J. P. Mohen.

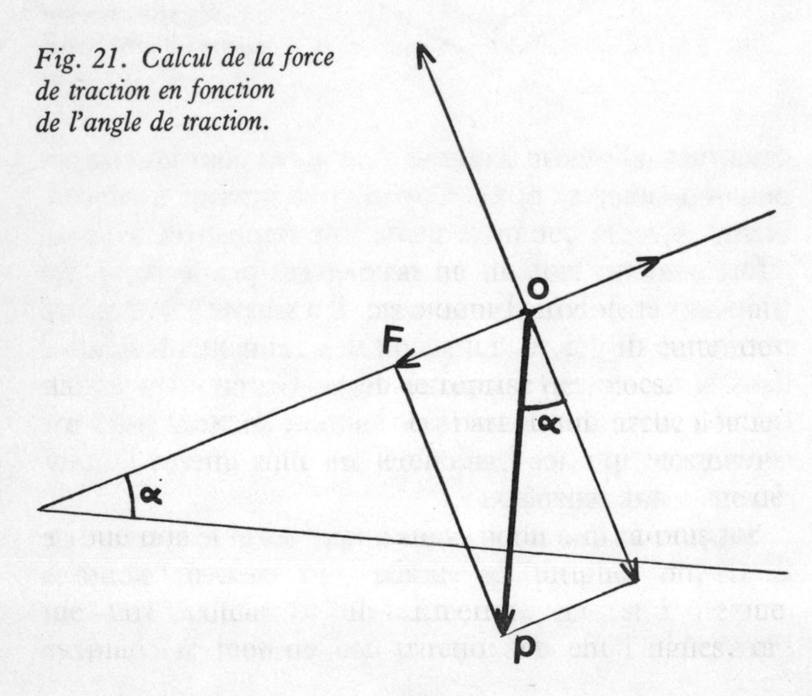

Fig. 21. Calcul de la force de traction en fonction de l'angle de traction.

Essayons de nous représenter un tel équipage : le traîneau supportant le monolithe d'une longueur minimum de 6 mètres, une longueur d'amarrage de 3 mètres et 200 haleurs (en « arrondissant ») répartis sur quatre files, chacun se trouvant en moyenne à 1 mètre du précédent afin d'assurer sa liberté de mouvement.

On s'aperçoit que chaque monolithe suppose une file de quelque 60 mètres de longueur. Comme la chaussée n'a que 15 mètres de large, on se rend compte que chacun des virages est impossible à négocier (un rapide calcul effectué en sens inverse montre en revanche qu'un bloc de 3 ou 4 tonnes pourrait éventuellement franchir l'obstacle).

Mais une autre objection, rédhibitoire celle-là, devait porter le coup de grâce à l'explication par les rampes. Acharné, non pas à ruiner les hypothèses de mes devanciers mais au contraire à en vérifier le bien-fondé, je me livrai en effet à propos des rampes de G. Goyon, à un calcul de décomposition des charges d'appui (descente de charge) qui allait mettre en pleine lumière les incohérences du système. Ici, une courte parenthèse s'impose pour expliquer ce qu'on entend par descente de charge.

Si l'on prend pour exemple une pierre cubique de $1 \times 1 \times 1$ mètre posée sur le sol, sa surface d'appui est de 10 000 centimètres carrés. En supposant l'empilement de telles pierres sur une hauteur égale à celle de la pyramide de Khéops, soit 146,60 m, on obtient un volume de 146,60 m^3 représentant pour une densité de 2,5 un poids de $146{,}60 \times 2{,}5 = 366{,}50$ t. Ce poids représente la « descente de charge ». La pression exercée sur le sol serait en ce cas de $366\,500 : 10\,000 = 36{,}65$ kg/cm^2 (kilos par centimètre carré).

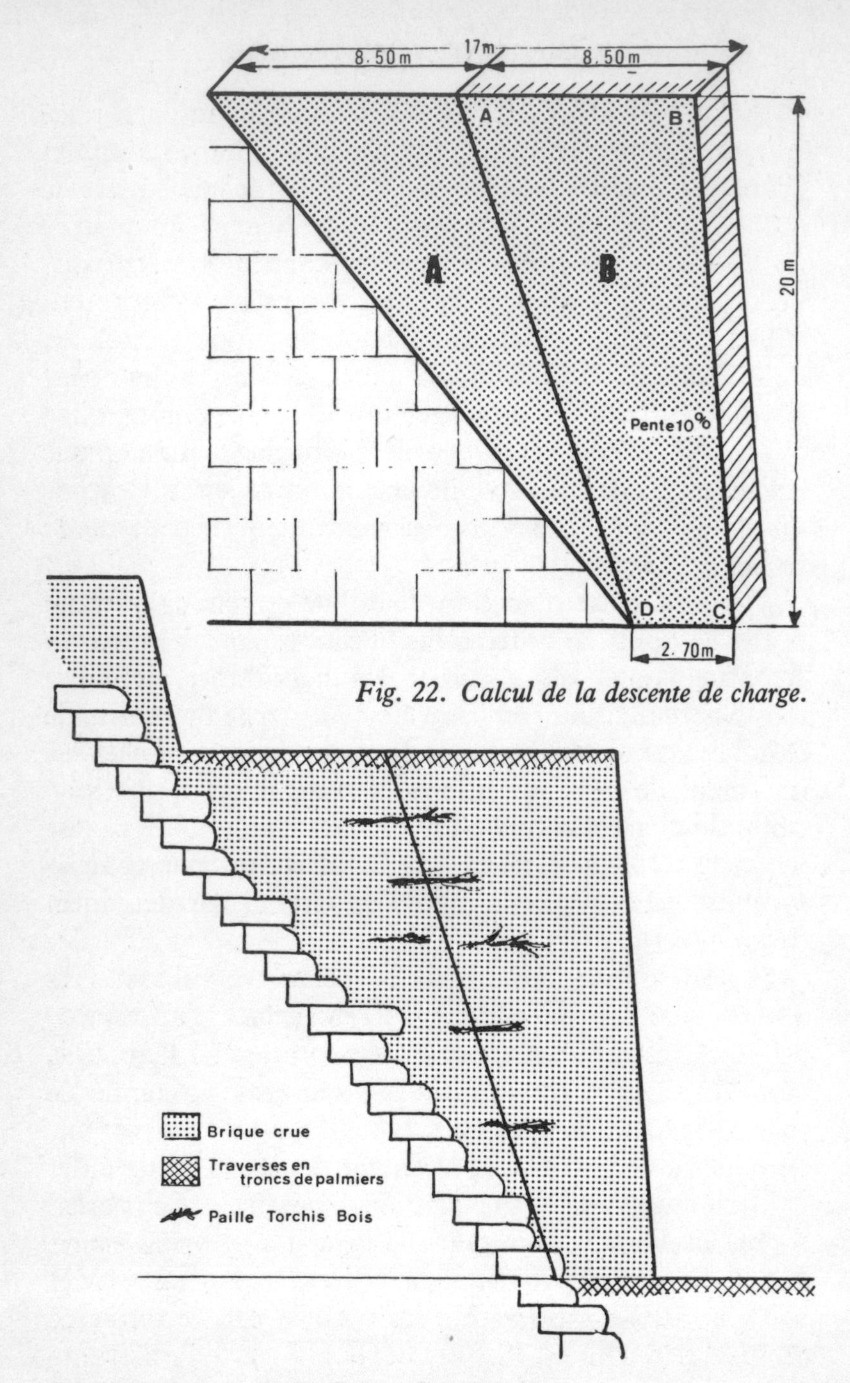

Fig. 22. Calcul de la descente de charge.

Fig. 23. Rampes de G. Goyon. Structure interne.

Selon la nature du sol, la résistance de la surface d'appui peut varier de quelques centaines de grammes (dans le cas de sols meubles) à 2 kg/cm^2 (dans le cas de sols argileux). Quant au roc, tel que celui qui constitue le plateau de Guizeh, il peut supporter des pressions atteignant 80 kg/cm^2. Ainsi nos 36,65 kg/cm^2 représentent-ils une pression parfaitement admissible.

La notion de descente de charge étant maintenant définie, considérons la rampe de G. Goyon (*fig.* 22). Haute de 20 mètres, large de 17 mètres à sa partie supérieure adossée au flanc de la pyramide, elle s'appuie au sol sur une largeur réduite à 2,70 m. Réalisée à l'aide de briques crues, elle présente un fruit (pente) très faible : 10 centimètres par mètre, soit 2 mètres de retrait pour 20 mètres de haut. De plus, la brique crue est un matériau de mauvaise qualité, friable, cassant, difficile à mettre en œuvre. Si, malgré cela, on s'abstient de prendre en compte les charges supplémentaires et les trépidations imposées à la rampe par le passage répété de millions de mètres cubes de blocs de pierre, si, de surcroît on admet que seule la moitié de cette terrasse — représentée par la partie B de la figure 22 — travaille en descente de charge (ce qui oblige à supposer que les bossages du flanc de la pyramide ainsi que les divers branchages servant de liant à la brique crue (*fig.* 23) assurent une valeur nulle à la descente de charge de la partie A), la descente de charge de la terrasse de G. Goyon atteint la valeur de

201,600 t : 27 000 cm^2/épaisseur de la rampe

soit un appui au sol par centimètre carré de 7,466 kg. (Pour calculer cette descente de charge, on opère comme précédemment en considérant le trapèze ABCD dont la surface est $[(8{,}50 + 2{,}70) : 2] \times 20 = 112$ m^2, ce qui, pour une longueur de rampe de 1 mètre représente un volume de 112 mètres cubes. La densité de la brique crue étant de 1,8, la descente de charge est

$$112 \times 1,8 = 201,600 \text{ t}$$

Beaucoup trop importante pour être admissible, cette pression de 7,46 kg/cm^2 irait d'ailleurs encore en augmentant à chaque palier puisque chaque portion s'appuie sur la portion située immédiatement au-dessous d'elle. Ainsi la partie B de même que, de proche en proche, toutes les parties homologues « accrochées » au flanc de la pyramide, n'auraient-elles pu échapper à l'effondrement (30).

Plus encore que le nombre d'hommes à faire manœuvrer, l'encombrement des traîneaux sur chacune des faces de la pyramide ou l'impossibilité de négocier les tournants, un pareil risque d'effondrement conduit à écarter comme irréalistes les différents systèmes de rampes qui ont été proposés pour expliquer l'acheminement des monolithes. Tout comme les « courtes pièces de bois », d'Hérodote, les terrasses de Diodore de Sicile ont placé les archéologues dans une impasse.

III

Eurêka !

1

Archimède au secours de Sisyphe

Douze années s'étaient écoulées depuis ma malheureuse expérience mosellane. Malgré mes efforts pour la contenir, l'irritation liée à cet échec restait vivace. Un mot dans une conversation, un croquis étaient des déclics suffisants pour la faire reparaître ! Je nous revoyais épuisant nos forces à tirer ce bateau sur la terre ferme, je revoyais les chenilles des tracteurs commençant à patiner, les rondins glissés sous le traîneau se mettant en travers, puis les derniers coups de cric, les ultimes efforts de la grue jusqu'à ce qu'enfin, notre récalcitrante embarcation retrouvât les eaux du fleuve... et sa légèreté quand elle s'était mise à flotter. Comme si les 50 tonnes que nous avions eu tant de peine à mouvoir échappaient maintenant par magie aux lois de la pesanteur !... Henri Poincaré a bien montré que tout en étant sollicité par d'autres tâches, notre cerveau continue à notre insu de manipuler en tous sens les problèmes que nous avons renoncé à résoudre. C'est de ce travail clandestin que jaillit au petit matin la solution élégante vainement recherchée la veille.

Douze ans plus tard, donc, tandis que l'image de ma marie-salope semblant glisser avec désinvolture sur la

Moselle revenait une fois de plus hanter mon esprit, la solution s'imposa à moi sous forme d'une proposition apparemment absurde : je ferai flotter des mégalithes ! Autrement dit, je ferai résoudre le problème de Sisyphe par... Archimède. Ce n'était bien entendu pas la première fois que je songeai à tirer parti du bon vieux principe qui veut que tout corps plongé dans un liquide subisse de la part de ce liquide une poussée verticale dirigée de bas en haut et égale au poids du volume de liquide déplacé. Mais la manœuvre qui consiste à hisser une charge importante sur une embarcation par définition instable — manœuvre indispensable à exécuter *avant* de prétendre bénéficier de cette salutaire poussée — ne me paraissait pas moins difficile que de déplacer un poids de 50 tonnes sur la terre ferme. Ce jour-là, après avoir retourné le problème en tous sens, je sentis que la solution se dérobait une fois encore.

A moins... à moins que je ne me limite pas à la donnée essentielle de la poussée d'Archimède et que j'y ajoute ce que j'appellerai une « compensation de flottabilité » — j'entends par là un corps qui, par sa flottabilité, fasse échec à l'attraction de la pesanteur que la poussée d'Archimède a le pouvoir de réduire mais non de supprimer. A moins aussi que je trouve un moyen d'éviter le déplacement du monolithe pour le hisser sur son flotteur... Dès lors, mon projet de faire flotter un mégalithe perdait son caractère de défi. Il suffisait d'une part de l'immerger de façon qu'il subisse — je devrais dire qu'il bénéficie de la poussée d'Archimède — d'autre part de lui adjoindre d'une manière externe une compensation de flottabilité, une barque par exemple. Après un instant de réflexion qui ne fut en définitive qu'un immense trou noir, la solution si longtemps recherchée m'apparut enfin, dans sa merveil-

▲ *« A l'aide d'un bateau à clapet, construit sur le modèle des « marie-salopes » dans lesquelles on déverse les vases lors des opérations de dragage, nous extrayions d'une sablière des masses de matériaux importantes. Le bateau fut isolé dans une mare. »*

▼ *Jean-Pierre Mohen tenta en 1980 à Bougon une expérience consistant à faire tirer en terrain plat par une équipe de 200 hommes, une charge de 32 tonnes posée sur des rondins.*

▲ *2 octobre 1982 : expérience de Bonneuil.*
Un canal de 80 m : 20 m de long, 4 m en « gueule », 2 m de profondeur. Un bloc de béton de 5 m de long, 1 m de large, épais de 0,46 m. Une caisse de bois à fond plat (3,50×1,50×1,00 m).

► *L'eau a monté dans le canal. Le radeau qui s'est mis à flotter a été amené à l'aplomb du monilithe immobile. Totalement immergé, celui-ci subit maintenant la poussée de l'eau. On lie alors le monolithe au radeau. Au fur et à mesure que l'eau monte, la force statique de celui-ci fléchit.*

▲ *Le bloc de béton flottant entre deux eaux a dérivé sans que quiconque exerce le moindre effort. On a pu alors le tirer et lui faire parcourir les 20 m du canal.*

Photos © Minguez

C'est par le moyen d'écluses successives que les bateaux parviennent à franchir des dénivellations importantes. Ici les 7 sas consécutifs de l'écluse de Fouserannes, sur le canal du Midi. De chaque côté des portes, pour leur fermeture, des poutres coulissant dans des rainures.

leuse simplicité. Au comble de l'excitation, je m'emparai du bloc de marbre qui me sert de presse-papier : il figurerait le monolithe. Une vieille boîte à gouache, où je range habituellement mes crayons, tiendrait lieu d'embarcation, de compensation de flottabilité. A l'aide d'un élastique, je les liai l'un à l'autre. Le temps d'aller chercher une auge de maçon et un seau d'eau, l'expérience était en route. Après avoir placé au fond de l'auge le bloc de marbre et la boîte à peinture — la « pierre » DESSOUS et la « barque » DESSUS — je commençai à verser l'eau. Lorsque celle-ci atteignit un certain niveau, la boîte se mit à flotter en emportant sous elle le bloc de marbre. Si, au contraire, je chargeais le bloc de marbre à l'intérieur de la boîte de couleurs, l'ensemble coulait inévitablement. Cinq fois, dix fois, je recommençai l'opération. Les mêmes causes produisaient les mêmes effets : la pierre flottait ! Comme Archimède dans sa baignoire, j'étais tenté de pousser un retentissant *eurêka !* Tout à la joie de ma découverte, je fis venir le plus jeune de mes enfants afin de lui montrer comment on faisait nager de « gros cailloux ».

Au lendemain de ce premier succès, je n'eus plus qu'une hâte : expérimenter en vraie grandeur, sur le terrain, le procédé que je venais de redécouvrir. J'éprouve une grande estime pour les archéologues. Sans ces hommes capables de déterminer le volume d'une boîte crânienne à l'aide d'une simple dent ou de reconstituer une technique à partir d'un morceau de silex, la connaissance du passé demeurerait impossible et ses débris seraient mis à jour sans résultat. Il leur arrive cependant de se contenter d'explications trop faciles, de considérer comme résolus des problèmes qu'ils se sont abstenus de soumettre à l'épreuve des faits, ou de sous-estimer l'importance de certains obstacles matériels. Les jongleries auxquelles certains d'entre eux s'étaient laissé aller à propos du transport des mégalithes, notamment, avaient eu pour effet d'éveiller ma méfiance. Aussi étais-je bien résolu à ne publier aucun bulletin de victoire tant que l'expérience en miniature que j'avais réalisée dans mon bureau n'aurait pas été transposée à l'échelle de la réalité.

Pour commencer, je fis réaliser sur le principe du déblai-remblai — les parties déblayées servant à créer les digues nécessaires — un canal de 80 mètres cubes : 20 mètres de long, 4 mètres en « gueule », 2 mètres de profondeur. Bien que ce canal ne fût appelé à servir qu'une fois, il était évidemment indispensable à ma « démonstration ». Après cela je fis couler un bloc de béton de 5 mètres de long, 1 mètre de large, d'une épaisseur de 0,46 m, pesant 5 tonnes : le double du poids moyen des pierres qui constituent la partie interne de la Grande Pyramide. Enfin, comme sans doute l'avaient fait avant moi les peuples bâtisseurs de l'Antiquité, j'assurai la compensation de flottabilité de mon bloc de béton en fabriquant un radeau, en l'occurence une sorte de caisse de bois à fond plat, rendue étanche à l'aide de glaise et soigneusement humidifiée, représentant un volume de flottaison de 5,25 m^3 [(3,50 × 1,50 × 1,00 m).]

Il ne me restait plus qu'à procéder à l'expérience elle-même. Elle eut lieu le 2 octobre 1982 dans le port de Bonneuil en présence d'une assistance nombreuse dont faisait partie l'archéologue départemental. Au fond du canal, le monolithe et le radeau semblaient maintenant se défier. Le monolithe allait-il retenir le radeau dans les profondeurs ou le radeau élever le monolithe vers la surface ? Bien que l'issue de ce combat singulier ne fît à mes yeux aucun doute, nombreux parmi les spectateurs étaient ceux qui auraient volontiers misé sur la victoire du monolithe. Alors commença la mise en eau. Afin de ne pas prolonger exagérément le... « suspense », je l'accélérai au moyen de pompes mécaniques, non sans avoir au préalable démontré qu'au rythme d'un seau de 10 litres toutes les dix secondes — rythme que peut raisonnablement tenir un ouvrier du bâtiment — un homme pouvait, en moins d'une heure, élever 3,6 m^3 d'eau à une hauteur de 1,66 m.

Dans le canal, le niveau de l'eau commençait à monter. Lorsqu'il atteignit quelques centimètres, notre caisse se mit à flotter (*fig.* 24, p. 92). Quelques dizaines de centimètres de plus et il fut possible de la faire glisser jusqu'à l'aplomb du monolithe, immobile. Maintenant totalement immergé, ce dernier subissait le providentiel effet de poussée que les anciens Égyptiens avaient su mettre à profit bien avant qu'Archimède l'eut mis en équation. Malgré cela, son poids l'emportant encore sur la poussée, il semblait toujours rivé au fond du canal. A l'aide de cordes solides, nous liâmes alors le monolithe au radeau, tandis que se poursuivait la mise en eau. Entre les deux « antagonistes », la partie décisive allait maintenant s'engager. Dans un premier temps, le radeau à présent solidaire du bloc semblait devoir disparaître sous la surface de l'eau. Pourtant, à mesure que l'eau montait dans le canal, la force statique du monolithe semblait fléchir. Délesté d'un poids égal au poids d'eau de sa masse volumique, subissant inexorablement la traction qu'exerçait sur lui la portance hydraulique du radeau, il abandonnait en effet peu à peu sa pesante inertie. Dans le canal, l'eau montait toujours. Tout le monde sentait que le dénouement était proche. Soudain, se produisit un bruissement à peine perceptible, un léger mouvement du radeau. Ça a

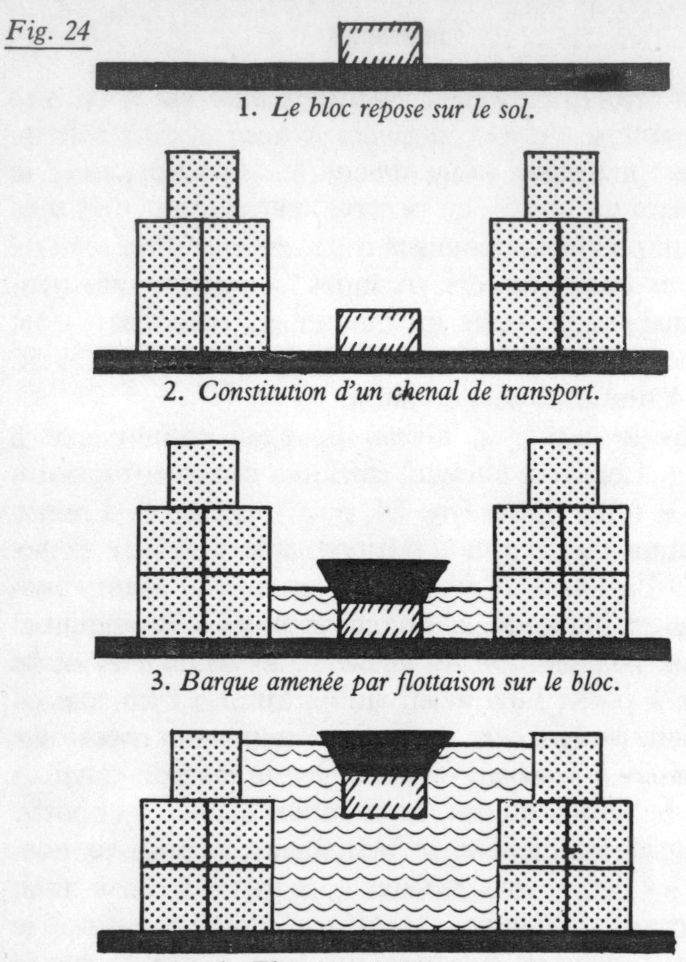
Fig. 24

1. *Le bloc repose sur le sol.*

2. *Constitution d'un chenal de transport.*

3. *Barque amenée par flottaison sur le bloc.*

4. *Flottaison du bloc après mise en eau complète du canal.*

bougé ! Ça bouge ! Tel un haltérophile au moment de l'arraché, le radeau venait de triompher du monolithe de béton qui se mit à flotter entre deux eaux, dérivant sans que quiconque exerçât le moindre effort. Grâce à la puissance tranquille de l'eau, l'imposant parallélépipède se laissait maintenant haler. On pouvait le tirer, le positionner à sa convenance, ce que fit avec un évident plaisir une dame de l'assistance.

J'éprouvais pour ma part une satisfaction extrême. Simple, fiable, cette expérience d'amateur à laquelle je venais de procéder publiquement mettait en œuvre des connaissances que les anciens Égyptiens possédaient à coup sûr, même s'ils n'en avaient pas trouvé la formulation mathématique. Elle démontrait en cela des avantages considérables. Outre que l'immersion diminue le poids statique des charges à transporter, elle permet de réduire notablement les phénomènes de friction. De plus, lorsque les dimensions du radeau porteur doublent, le poids de la charge transportable se trouve multiplié par... huit en sorte qu'il n'existe pas de blocs si lourds qu'on ne puisse prétendre soulever par ce moyen. Dans ces conditions, un seul homme peut (sans tenir compte du poids de l'embarcation) déplacer une charge de 5 tonnes, soit quelque trente fois plus qu'on ne l'en croyait capable dans le meilleur des cas.

Permettant de diminuer dans des proportions importantes le nombre d'ouvriers, ne faisant appel qu'à des matériaux universels, facile à mettre en œuvre, supprimant le danger (chute des mégalithes) — permettant de réduire notablement la section des cordes utilisées pour l'amarrage et la traction, ce type de déplacement offre des perspectives immenses. Sans rupture de charge, sans déployer des efforts surhumains, les anciens Égyptiens avaient pu hisser et déplacer les monolithes les plus lourds avec une précision de manœuvre indiscutable. Cette explication fournit la solution de tous les problèmes apparemment insurmontables que posent aux archéologues les différents types de constructions cyclopéennes.

Quant à moi, après le succès de l'expérience de Bonneuil, il m'appartenait de tirer les conséquences, toutes les conséquences de ma découverte.

2

Les « chemins qui marchent »

Le succès de l'expérience de Bonneuil était un premier pas. Il me restait à apporter la preuve que le procédé que j'avais redécouvert avait bien été utilisé par les constructeurs des pyramides ainsi que, avant et après eux, par tous les grands bâtisseurs du passé. Pour cela, il importait de passer en revue les différents documents relatifs à l'art de bâtir ainsi que les témoignages recueillis sur place par les grands reporters de l'Antiquité, les analyser, les recouper entre eux. Il fallait également les confronter aux rares représentations peintes ou sculptées que nous possédions dans le domaine des grands travaux. Cela fait, je devais vérifier par le dépouillement des relevés archéologiques ou au moyen de techniques telles que la photographie aérienne que mes conclusions n'étaient pas infirmées par l'examen des vestiges retrouvés sur les sites eux-mêmes. Enfin, il fallait acquérir la certitude que les Égyptiens de l'époque de Khéops possédaient les connaissances et surtout les outils nécessaires pour édifier leurs monuments selon mon procédé... Lorsqu'on avance des conclusions qui vont à l'encontre des vérités établies, la règle d'or est de s'attacher à les rendre irréfutables en ne laissant subsister aucune zone d'ombre !

D'entrée de jeu, il me paraît nécessaire d'écarter résolument l'hypothèse d'un corpus de connaissances ésotériques dont la classe sacerdotale égyptienne aurait eu la maîtrise. Elle est à l'origine de trop nombreuses extravagances. Elle se fonde sur une inscription retrouvée dans le tombeau d'Ineni, l'architecte de Thoutmès III, inscription qui met en effet l'accent sur le secret absolu qui entourait la construction des ensembles funéraires. Elle se rapporte très probablement au réseau de couloirs, conduisant — ou ne conduisant pas — à la chambre mortuaire ainsi qu'aux différents dispositifs qui en interdisaient l'accès (n'oublions pas que les richesses laissées à la disposition du défunt étaient de nature à exciter la convoitise), voire au caractère sacré de certains nombres utilisés par les architectes égyptiens. Ces nombres, de même que certaines connaissances mathématiques ou astronomiques n'étaient divulgués par les prêtres qu'aux seuls initiés (Pythagore fut l'un d'eux). Mais cela ne s'étendait pas à la montagne artificielle au cœur de laquelle le pharaon vivait sa vie d'outre-tombe. A moins d'imaginer quelque fantastique holocauste ordonné à l'achèvement des travaux, on voit mal pourquoi et comment on aurait gardé le secret sur un édifice que des milliers pour ne pas dire des dizaines ou même des centaines de milliers d'hommes avaient contribué à construire !

Ce qui est sûr, c'est que les Égyptiens se sont montrés peu diserts sur leurs procédés de construction. Aussi, sans pour autant tenter de leur faire dire ce qu'ils ne veulent pas dire, convient-il de s'appuyer sur les rares textes que nous possédons. Les *Histoires* d'Hérodote, que nous avons déjà évoquées (voir page 51), sont l'un des plus précieux d'entre eux. Hérodote fait allusion à des machines faites de courts morceaux de bois ainsi qu'à un canal utilisant les eaux du Nil pour transformer en île le plateau de Guizeh. Il revient à deux reprises sur ce dernier « artifice ».

« Khéops, d'après ce que me dirent les Égyptiens, régna cinquante ans. Après sa mort, son frère Khéphren lui succéda et adopta la même politique que son prédécesseur. Entre autres monuments, il fit lui aussi bâtir une pyramide. Elle n'approche pas, il est vrai, la taille de celle de Khéops — je les ai mesurées toutes les deux — elle n'a ni édifices souterrains ni canal qui y conduise les eaux du Nil. Au lieu que l'autre, où l'on dit qu'est enfermé le tombeau de Khéops, se trouve dans une île, et est environnée par les eaux du Nil, qui y sont acheminées au moyen d'un canal... » Un étagement de gradins, de courtes pièces de bois et un canal susceptible de conduire les eaux du Nil jusqu'au centre du monument, tels sont les trois points sur lesquels l'historien grec met l'accent et que nous retiendrons, en attendant d'en demander la confirmation à la photographie aérienne.

De son côté, Diodore, nous l'avons vu (page 53) rappelle qu'il avait été nécessaire pour construire la pyramide, d'élever des terrasses réalisées à l'aide de matériaux fondants et que les machines étaient encore inconnues des Égyptiens. Lui aussi évoque l'arrivée des eaux du Nil jusqu'au niveau du plateau. L'interprétation de Diodore est reprise un siècle plus tard par Pline l'Ancien qui accorde une importance toute particulière au rôle de l'eau dans les constructions antiques. A son tour, Pline évoque des terrasses, réalisées à l'aide d'un matériau fondant, à propos desquelles il note : « ... Il est difficile de savoir comment les matériaux ont été portés à une aussi grande hauteur. Selon les uns, on éleva des monceaux de nitre et de sel à mesure que la construction avançait. Lorque cette dernière fut terminée, on les fit fondre en amenant les eaux du Nil. Selon d'autres, on éleva des ponts de briques crues que l'on répartit, une fois l'édifice achevé, entre les maisons des particuliers, car, disent-ils, le Nil n'a pu arriver jusque-là, étant d'un niveau plus bas. »

Nous avons une preuve indiscutable de l'existence de ces terrasses fondantes. Dans son étude sur le secret des grands bâtisseurs, Georges Goyon rapporte que l'archéologue égyptien Sélim Hassan, qui procéda à de nombreuses fouilles dans la région des pyramides, avait remarqué, sans en comprendre la raison, la présence d'une épaisse couche de boue argileuse à l'intérieur des mastabas situés en contrebas, ainsi que dans le fossoir. D'ores et déjà, nous sommes en possession des éléments essentiels qui peuvent nous aider à découvrir la clé que nous cherchons : des constructions toutes situées en bordure du Nil ; des terrasses, des levées de terre en matériaux fondants à partir desquelles des sortes de machines permettent de hisser les blocs d'un degré à l'autre grâce à de courtes pièces de bois. Mais ils semblent tellement peu liés les uns aux autres que les archéologues ont hésité à les faire intervenir simultanément, sans s'aviser que la solution qu'ils recherchaient se trouvait, pour ainsi dire, contenue dans... leurs questions. C'est ainsi que M. Chevrier, directeur des fouilles de Karnak, pouvait noter : « Nous préférerions en ce qui nous concerne un coefficient de frottement moindre ou même complètement nul, quitte à faire confiance à l'ingéniosité des anciens Égyptiens pour la manœuvre. » Frottement léger ou nul, il ne restait qu'un pas à franchir pour atteindre le but. M. Chevrier ne le franchit cependant pas. Partant de ces remarques, certains suggérèrent que le seul moyen de supprimer le frottement ou de le rendre quasiment nul était de faire glisser les blocs sur une patinoire. D'autres se tournèrent vers la lévitation. Ahmed al Magrisi (1360-1442) rapporte à ce sujet que les ouvriers égyptiens disposaient de papyrus recouverts d'inscriptions magiques dont l'application sur un bloc de pierre suffisait à lui faire parcourir 100 sahnes (soit 200 portées de flèches de 130 mètres) quel que fût son poids. En recommençant la manœuvre autant de fois qu'il était nécessaire, la pierre parvenait ainsi sur le plateau où il ne restait plus qu'à la positionner. Nous ne connaissons malheureusement pas de moyen de lévitation qui puisse permettre d'atteindre un tel résultat !

Il semblait préférable de ne pas se laisser égarer dans cette direction et ce fut en analysant inlassablement les textes des égyptologues, en étudiant sous un jour nouveau certains détails fournis par eux et restés jusqu'alors inaperçus ou incompris, que la vérité que je cherchais me parut devoir être retrouvée.

Dans l'*Archéologie égyptienne*, Gaston Maspéro nous explique que, pour exploiter les carrières d'albâtre d'où furent extraits les blocs les plus volumineux des pyramides, il fallut construire au débouché de l'oued Guerraoui, qui ferme le ravin, un barrage de 66 mètres de large et haut d'une quinzaine de mètres, constitué à la manière d'un gigantesque emmarchement de 35 paliers — dont 32 existent encore. Cette retenue d'eau représente un travail d'autant plus considérable que pour épauler l'ouvrage proprement dit, réalisé en pierres taillées, deux autres couches constituées l'une d'argile, l'autre de pierrailles représentant une épaisseur totale de 45 mètres, furent nécessaires.

« Une digue analogue avait transformé le fond de l'oued Genneh en un petit lac où les mineurs du Sinaï venaient s'approvisionner en eau. La plupart des localités d'où l'Égypte tirait ses métaux et ses pierres de choix étaient d'accès mal aisé, et elles n'auraient été d'aucun profit si on n'avait eu soin d'en faciliter les avenues et d'en rendre le séjour moins insupportable par des travaux de ce genre. »

« Pour aller chercher la diorite et le granit gris de l'oued Hammamat, ajoute Gaston Maspéro, les pharaons avaient jalonné la route de citernes taillées dans le roc — on en voit encore plusieurs à demi comblées par les éboulis et le sable. » Malgré la présence de ces points d'eau, explique G. Maspéro, l'exploitation des carrières du désert était exceptionnelle car elle impliquait qu'on mît sur pied de véritables expéditions de soldats et d'ouvriers. Aussi les pierres de choix telles que la diorite, le basalte, le granit noir, le porphyre, les brèches vertes ou jaunes n'étaient-elles pas d'un usage fréquent en architecture. Au contraire, « les carrières de calcaire, de grès, d'albâtre, de granit rose, qui ont fourni les matériaux usuels des temples et des monuments funéraires, étaient dans la vallée et d' " abord " facile. Ce n'est que plus tard que les constructions d'écluses sur les canaux et de barrages sur le Nil même ont atteint les carrières de granit et de grès... »

En lisant ces lignes du grand égyptologue, on acquiert la certitude que les Égyptiens de l'époque de Khéops avaient compris tout le parti qu'ils pouvaient tirer des « chemins qui marchent » et notamment du Nil et qu'ils possédaient en matière d'hydraulique des connaissances amplement suffisantes pour leur permettre non seulement d'exploiter les crues du fleuve, mais, en dehors des périodes de crues, d'acheminer ses eaux jusqu'à l'emplacement de leur choix par le jeu de canaux, de systèmes d'écluses... Enfin, à supposer qu'ils aient été incapables de l'évaluer, ils avaient de la poussée d'Archimède une connaissance au moins empirique. En un mot, ils pouvaient envisager d'entreprendre la construction des pyramides !

Quant à moi, les renseignements puisés dans les textes, anciens et modernes, ne formant pas encore un ensemble cohérent, je me devais, à cette étape de ma réflexion, de me rendre sur le terrain afin d'étudier les complexes pyramidaux à la lumière de mon hypothèse. Une évidence ne tarda pas à s'imposer : tous sont construits de façon identique et comportent (*fig.* 25) :

— un ouvrage portuaire, de quelque façon qu'on le désigne, toujours situé sur le canal ou sur le fleuve ;

— une chaussée d'accès, en laquelle on a cru reconnaître une voie processionnelle et qui se présente à la manière d'un canal reliant l'ouvrage portuaire et le monument ;

— un ouvrage de réception sur la partie haute de la chaussée d'accès ;

— très souvent, une enceinte entourant le monument lui-même ;

— à proximité immédiate de la pyramide, soigneusement protégés, des ouvrages naviformes pouvant recueillir des bateaux en état de naviguer (Ounas, Khéphren, Mykérinos...) ;

— dans tous les cas, un lac sacré, même si le Nil est plus proche ;

— En dehors des pièces à vocation funéraire, une salle, parfois la plus importante, affectée à l'adoration de la barque. « Les bâtiments qui accompagnent la pyramide, note I. E. S. Edwards, dans les *Pyramides d'Égypte* (p. 62), ont été disposés selon un plan qui allait devenir classique dans l'Ancien Empire, les éléments essentiels étant toujours : la pyramide elle-même, avec au moins une autre plus modeste, toutes deux construites sur un terrain élevé à l'intérieur d'une enceinte, un temple funéraire, une chaussée montante ou une avenue et un édifice à la lisière ouest des terres cultivées. Celui-ci, dit temple bas (ou d'accueil, ou de la vallée) était relié au fleuve par un canal qui permettait à la procession des barques d'arriver directement jusqu'à la nécropole ».

Fig. 25. Le complexe funéraire de l'Ancien Empire.

Ainsi en va-t-il de la pyramide de Meïdoum, à 45 kilomètres de Memphis. Une large allée revêtue de limon et bordée par un mur de pierre entourait cette pyramide. Entre celle-ci et la face sud se trouvait la pyramide satellite. Un espace libre, large de 24 mètres environ, séparait le temple funéraire du mur d'enceinte est. En un point de ce dernier, presque en face de l'entrée du temple, une ouverture étroite donnait accès à l'avenue reliant l'enceinte des pyramides au bâtiment situé au bord de la vallée. Une légère dépression dans le sable, voilà tout ce qui subsiste aujourd'hui de cette voie d'accès qui, intacte, mesurait 211 mètres de long. Son revêtement en limon était posé sur un lit large de 3 mètres taillé dans le roc. De chaque côté, un mur en pierre haut de 2,10 m mesurait 1,50 m d'épaisseur à la base et 1,20 m au sommet...

Les fouilles dirigées par Sir Flinders Petrie en 1891 ont prouvé que ces murs ne soutenaient pas de toit.

En ce qui concerne la pyramide rhomboïdale, sa chaussée à ciel ouvert ressemble trait pour trait à celle de Meïdoum, à cela près qu'elle était beaucoup plus longue et rejoignait l'enceinte non pas sur le côté est mais sur le côté nord, près de son extrémité est. Sur une largeur de 3 mètres environ, précise I. E. S. Edwards, son sol consistait en une couche de limon posée sur un lit de déchets de taille. Des blocs de pierre formaient les murs talutés sur les deux faces (larges de 1,95 m à la base, ils avaient 1,85 m de haut).

Quant à la pyramide de Khéops, qui nous intéresse ici plus particulièrement, les bâtiments annexes qui la complétaient ont disparu, entièrement ou en partie. Ainsi, le mur d'enceinte. Il reste cependant des vestiges suffisants pour reconstituer son plan d'ensemble. De l'avenue qui conduisait du temple bas au temple haut subsistent deux fragments : elle était construite directement sur le roc ou, dans les endroits où celui-ci était trop bas, sur une chaussée maçonnée. Georges Goyon, qui y a dirigé une mission d'exploration, estime qu'elle mesurait environ 66 mètres de long et 18 mètres de large à son point de départ. Au nord et au sud du temple haut, en dehors de l'enceinte, 2 bassins naviformes ont été creusés dans le sol. Un 3e se trouve du côté nord de l'avenue, près du temple. Un 4e, au sud du mur d'enceinte, contenait un bateau de bois long de 42,90 m qui avait été partiellement démonté avant d'être enterré. Une dernière embarcation a été retrouvée près de l'extrémité ouest de la pyramide. Au passage, I. E. S. Edwards note que certains de ces bateaux ont peut-être été utilisés au moment des funérailles, tandis que les autres étaient probablement destinés à fournir au défunt un moyen de transport dans sa vie d'outre-tombe. Dans le culte solaire, rappelle-t-il, une barque était nécessaire pour accompagner le dieu lors de son parcours diurne à travers les cieux et nocturne autour de la Terre, de même que pour atteindre la région au-delà de l'horizon est, où les dieux avaient leur séjour.

On trouve également cinq cales naviformes auprès de la pyramide de Khéphren. A l'exception d'une partie des fondations rocheuses et de quelques blocs de calcaire fin provenant du pavage et des murs, l'avenue qui conduisait du temple bas (auprès duquel se trouve le célèbre Sphynx) au temple haut, aujourd'hui en ruine, a complètement disparu. Afin d'éviter d'élever un remblai à travers une vaste dépression dans la partie est du temple bas, explique I. E. S. Edwards, on avait fait suivre à l'avenue une crête rocheuse qui coupait celle-ci obliquement, du sud-est au nord-ouest. Elle mesurait plus de 350 mètres de longueur et était large de 4,50 m environ.

On pourrait multiplier les exemples. De Meïdoum à Abousir, de Guizeh à Saqqarah, on retrouve ces mêmes chaussées. Voies processionnelles, a-t-on dit. Peut-être ont-elles pu, en effet, avoir cette vocation, après l'achèvement des travaux lorsque le corps du pharaon défunt, était transféré en grand apparat dans le temple funéraire situé au pied de la pyramide. On pourrait se contenter de cette explication si la présence d'avenues semblables à Stonehenge, à San Augustin, sur l'île de Pâques, à Malte, au Pérou, en Bolivie, en France même, en un mot dans tous les lieux où l'on a retrouvé des constructions mégalithiques, ne suggéraient une interprétation différente : celles de canaux le long desquels des embarcations, radeaux ou bateaux, apportaient à pied d'œuvre des masses... intransportables autrement.

IV

Ma pyramide de bas en haut

1

Les armées de Pharaon

Développer le système d'édification d'un monument aussi complexe et imposant que celui de la pyramide de Khéops sans avoir recours à une explication mathématique simple surtout en notre temps de techniques, paraît impossible.

Le lecteur devra donc me pardonner de lui infliger une longue et pénible énumération de chiffres et de formules pourtant nécessaires si l'on veut arriver au terme de la démonstration à une certitude de « faisabilité ». Mais avant d'entrer dans le détail de la démonstration arithmétique et technique, il convient de mieux savoir qui étaient et comment vivaient les constructeurs eux-mêmes.

Jean-Philippe Lauer, Serge Sauneron, Jean Vercouter et de très nombreux autres égyptologues ont suffisamment démontré quelles étaient les connaissances mathématiques des époques pharaoniques pour qu'il ne soit plus possible de douter aujourd'hui de la compétence des Égyptiens. Il faut toutefois admettre que le « savoir » était l'apanage de certains mandarins (architectes, scribes, chefs religieux et militaires) ce qui en l'occurrence devait faciliter la préservation des secrets, chacun d'entre eux étant spécialisé dans sa matière. Les agriculteurs, les bateliers, les pêcheurs, les artisans, les maçons, formaient quant à eux la plus grande partie d'une main-d'œuvre de qualité, prête à mettre sa dextérité, son art, ou tout simplement sa bonne volonté au service de Pharaon.

Sur les bords du Nil, cordon ombilical de l'Égypte, la vie active de tout un peuple s'égrenait au rythme saisonnier du fleuve nourricier. Khéops, à la fois dieu et roi, gère de manière despotique le pays. Il distribue terres et privilèges à des notables, nourrit loge et habille ceux qui travaillent pour lui et qu'il emploie à la construction de l'œuvre de sa vie, sa demeure d'éternité : sa pyramide.

Toutes les catégories sociales doivent obéissance et respect au monarque absolu qui ne partage ses prérogatives qu'avec les dieux. Les prêtres, tout d'abord, qui sont les détenteurs de la connaissance et du savoir. Très nombreux, ils assurent le service du temple. Tête rasée, portant robe de lin, ils se purifient par de fréquentes aspersions d'eau. Leur recrutement se fait parmi le commun des citoyens. Une fois nommés, les disciples sont chargés d'assurer pour des périodes bien déterminées (un mois sur quatre) le culte du dieu auquel ils sont voués. Le dieu s'incarne dans la statue qui le représente, et c'est à celle-ci que l'on rend un culte. Tous les jours les prêtres président au lever de la statue dieu, la parent, lui apportent offrandes et repas, l'encensent plusieurs fois dans la journée. Le soir, parée pour la longue nuit, on l'enferme dans une chapelle de bois que l'on place dans une barque. C'est ainsi qu'elle passe dans le domaine de l'ombre.

Ces périodes sacerdotales terminées, les prêtres ordinaires retournent à la vie civile. Ils reprennent leurs activités habituelles, enrichis de nouvelles connaissances. Seuls quelques grands prêtres officient en permanence dans les grands temples. Quoique souvent héréditaire, leur charge demeure propriété de Pharaon. Si l'on en croit Hérodote, Khéops ne se priva pas de révoquer des charges, allant jusqu'à interdire les sacrifices dispendieux, mais surtout inquiet de l'ampleur que prenaient de tels ensembles religieux, véritables petits États dans l'État. Ces ensembles religieux disposaient d'ateliers, d'échoppes, d'écoles, de bâtiments et de « bibliothèques » où se trouvaient enfermés le savoir et le savoir-faire...

Ces corps de savants constituaient des puissances occultes difficilement contrôlables, leur développement portait parfois ombrage aux prérogatives du pharaon. Bien souvent, les scribes, les architectes étaient des prêtres de haute lignée ; leurs connaissances mathématiques étaient telles qu'elles forcèrent l'admiration des anciens grecs.

Une deuxième catégorie sociale occupe une place prépondérante dans la société pharaonique : les militaires. Quoique peu nombreuse sous la IVe dynastie, l'armée composée en majeure partie d'étrangers (lybiens) était fort redoutée des gens du peuple. Lorsqu'elle n'était pas occupée à défendre le pays, l'armée était employée à des tâches de construction. Très proche de l'architecture religieuse dans sa conception, l'architecture militaire utilisait les mêmes procédés de transport et de mise en œuvre des éléments de construction, si bien, qu'indifféremment, on faisait appel à l'armée pour l'une ou l'autre des tâches, selon le désir et les besoins de Pharaon. Parmi les militaires, les marins occupaient une place importante. Si leur tâche principale était d'assurer le transport des marchandises, ils se devaient également de participer à toutes les manœuvres de mise en place des pièces transportées. Ainsi, de Silsilèh ou de Tourah, les convois de pierres étaient affrétés et acheminés dans leur majeure partie par des militaires manutentionnaires ; les plus petites charges étaient confiées à des bateliers traditionnels.

Cette armée que l'on qualifierait aujourd'hui d'armée du génie avait pour la mener des chefs très compétents. Outre qu'ils devaient posséder une connaissance parfaite de la guerre, il leur fallait se montrer capables de résoudre tous les problèmes de transport et de mise en place de gros éléments qui leur étaient confiés (papyrus Anastasi n° 1).

Ainsi, l'armée renforcée par quelques levées de troupes prélevées dans le commun des citoyens fournissait-elle la masse de manœuvriers requise. C'était dans l'armée que l'on trouvait les personnels capables d'acheminer par voie d'eau, des carrières aux sites, les matériaux indispensables aux constructions. Avec la classe religieuse et l'armée, les hautes classes de la société étaient très largement représentées. Les tâches « inférieures » étaient réservées à une troisième catégorie, plus modeste, celle qui formait le gros des troupes : le peuple.

Pharaon avait le droit de prélever la main-d'œuvre qui était indispensable à ses réalisations. Toutefois, en souverain prévoyant, il n'aurait en aucun cas entravé la bonne marche de ses entreprises en employant un nombre exagéré d'ouvriers employés car, comme je l'ai déjà dit, le dieu roi devait nourrir, vêtir et entretenir convenablement les ouvriers et leurs familles. Le manquement à cette charge a parfois entraîné des troubles qui conduisirent les ouvriers à faire des grèves plus ou moins prolongées.

Les conditions naturelles en Egypte sont telles qu'elles permirent aux monarques égyptiens de pouvoir construire sans nuire à l'économie. Dans ce pays accablé de chaleur, le fleuve sort de son lit chaque année au mois de juin, inondant la vallée de ses eaux, fertilisant les berges d'un limon brunâtre. Jusqu'en octobre, la vaste plaine ne ressemble plus qu'à une immense mer ; toutes les activités agricoles sont suspendues. Quelques villages accrochés aux flancs des buttes émergent çà et là, isolés dans cette masse liquide. Pendant ces longs mois d'été, la population agricole était donc peu employée et ce désœuvrement temporaire de la classe agricole était mis à profit par Pharaon pour activer les travaux de sa nécropole.

En automne, l'eau du Nil se retirant lentement, les paysans retournaient à leurs occupations. La saison était propice aux semailles ; ils ensemençaient à la volée leurs terres, protégeaient leurs champs contre d'éventuelles inondations, réparaient les dégâts causés, construisaient des levées de terre pour retenir les limons ou bien encore créaient des réservoirs et des canaux en prévision de crues trop faibles. (Notons que les travaux de la grande pyramide sont basés sur ce mode de vie agraire.

C'est parmi les villageois que se recrutaient les artisans. Ils travaillaient dans les ateliers du roi et des temples. Toutes les activités de la vie quotidienne y étaient représentées et bien souvent les métiers s'exerçaient de père en fils. Leurs besognes étaient aussi diverses que variées : du brasseur au boulanger, du potier au fabricant de briques, du tailleur de pierre au sculpteur, du charpentier au constructeur naval, du peintre au décorateur.

Les bois et les métaux non ductiles étaient rares en Égypte sous le règne des pharaons constructeurs. Les artistes conscients de cette pénurie mettaient à profit leur savoir-faire pour utiliser au mieux les matériaux nobles dont ils avaient la charge, les œuvres réalisées servant uniquement à la décoration luxueuse ou intime des grands dignitaires.

Pour les constructions navales en revanche, on se sert de roseaux, de joncs, de feuilles de papyrus, de peaux d'animaux cousues entre elles. Les grandes pièces de bois très rares ne sont employées que parcimonieusement, même dans la construction des grandes nefs (Hérodote donne le détail de ces constructions de bâteaux de charge.

Par contre, la pierre, elle, est abondante et les carrières de qualité sont nombreuses de part et d'autre du Nil. Plus résistante que la brique crue, plus durable, de mise en œuvre plus rapide, la pierre de taille remplace dès Imhotep la traditionnelle boue séchée des générations précédentes. Avec cette transformation de conception de l'architecture se créent de nouveaux métiers. De véritables écoles de tailleurs de pierre voient le jour. Avec le temps, l'expérience, des progrès s'accomplissent. La pierre brute se taille, se transforme pour, de simple moellon de construction, devenir statue ou colonnade. Aux grès, aux granits colorés, aux calcaires ordinaires succèdent des pierres plus fines : les feldspaths, les quartz, les améthystes, les diorites vertes, pierres dures par excellence, difficiles à tailler mais tellement convoitées pour leur rareté et leur beauté que les souverains n'hésitaient pas à organiser des expéditions coûteuses pour aller les chercher dans les lointaines carrières.

Quant aux moyens qu'ils utilisent pour les acheminer à pied d'œuvre, nous nous proposons maintenant d'en fournir un exposé logique et chiffré.

2

Quatre ans de préparatifs

Les données que je m'impose

A partir du procédé que j'ai redécouvert puis expérimenté à Bonneuil, je me propose à présent de construire... ma pyramide. Ne reculant devant aucun effort, j'ai décidé qu'elle serait la sœur jumelle, non pas de quelqu'une des petites pyramides satellites qui jouxtent celle de Mykérinos, mais de la plus imposante des trois grandes pyramides qui composent l'ensemble funéraire du plateau de Guizeh : celle de Khéops. Rien de moins ! Toutefois, afin de ne pas compliquer ma démonstration, on conviendra que tous les blocs qui doivent la composer auront les mêmes dimensions : 1,60 sur 1,60 m et une épaisseur de 1 mètre (*fig.* 26), soit un volume de 2,560 m^3 et, leur densité étant de 2,4 — celle du grès — un poids de 6,144 t.

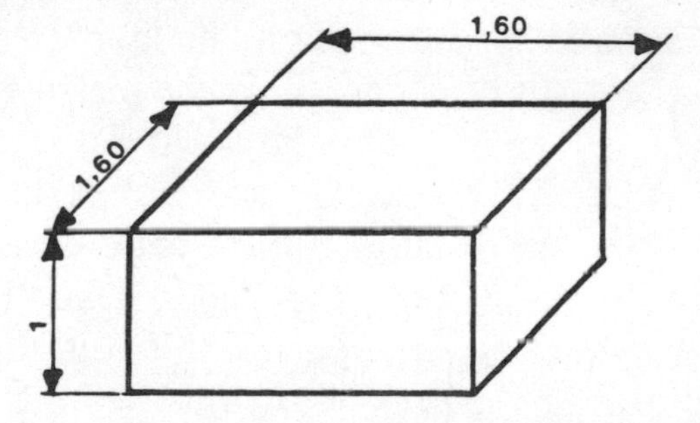

Fig. 26. Les dimensions de ce bloc parallélipipédique constitueront la base de tous les calculs (espace et temps) exposés dans cet ouvrage.

La base de ma pyramide sera un carré de 232 mètres de côté, ce qui représente une surface de 145 × 145 blocs. Avec des flancs inclinés à 45°, elle aura une hauteur de 145 mètres, c'est-à-dire qu'elle sera composée de 145 assises. Afin de ne pas nuire à la clarté de l'exposé en m'obligeant à détailler assise par assise le travail de pose, je n'ai prévu à l'intérieur ni chambres ni galeries. Ainsi le calcul du volume total — ou, ce qui revient au même, celui du nombre de blocs nécessaires à sa construction — s'en trouve-t-il simplifié avec (*fig.* 27) :

une première assise
composée de 145 × 145 = 21 025 blocs

une deuxième assise
composée de 144 × 144 = 20 736 blocs

une troisième assise
composée de 143 × 143 = 20 614 blocs

une quatrième assise
composée de 142 × 142 = 20 449 blocs

et une 145e assise composée d'un bloc unique dans lequel sera taillé le pyramidion, on aboutit au total impressionnant de 1 027 255 blocs de pierre représentant plus de 2,6 millions de mètres cubes (31). C'est, à peu de chose près, le volume de la pyramide de Khéops. Je me propose de l'installer comme cette dernière, sur un plateau rocheux situé à 40 mètres au-dessus du niveau du Nil dont la séparera une distance de 5 stades (32) soit 888 mètres (au lieu de 670 mètres pour la Grande Pyramide). En me référant aux indications d'Hérodote, je dispose de vingt années pour rééditer l'exploit de mes devanciers égyptiens.

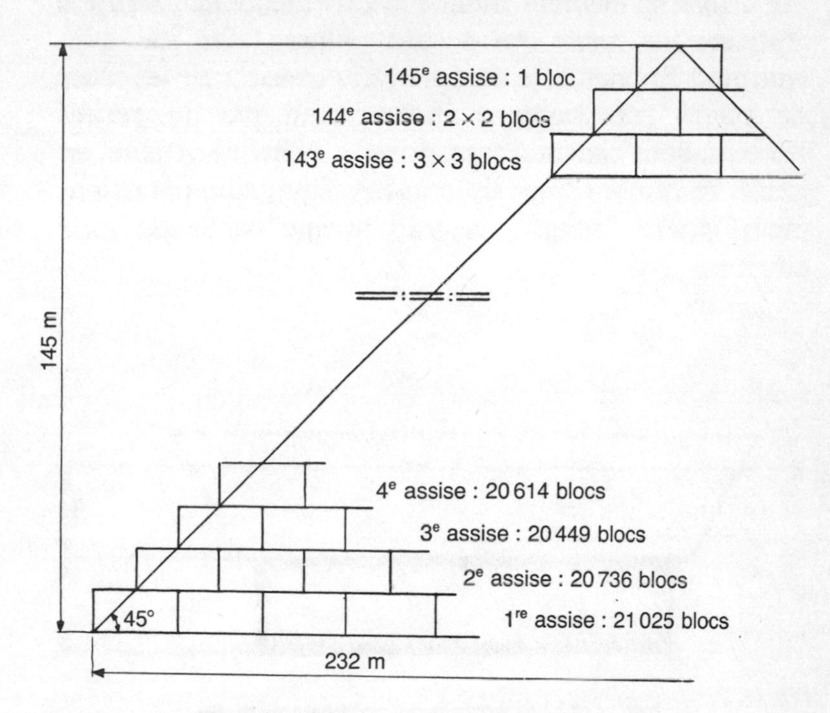

Fig. 27. Structure de la pyramide assise par assise.

Les moyens dont je dispose

Bien entendu — c'est la règle du jeu que je me suis imposée — je me place dans les conditions où ceux-ci se trouvaient dans les années 2650 avant notre ère. L'outillage dont disposent mes équipes, est, comme celui des Égyptiens de la Ve dynastie, rudimentaire. Aucune magie n'est acceptée sur mon chantier, si ce n'est celle qui donne à l'élément liquide la providentielle propriété d'alléger les corps qui y sont plongés ! On sait que, comme à Bonneuil, je compte faire transporter les blocs de pierre nécessaires à mon travail par de petites barques dont chacune transportera à chaque voyage, en guise de quille (dont les anciens Égyptiens paraissent avoir ignoré l'usage), la millionième partie de mon édifice.

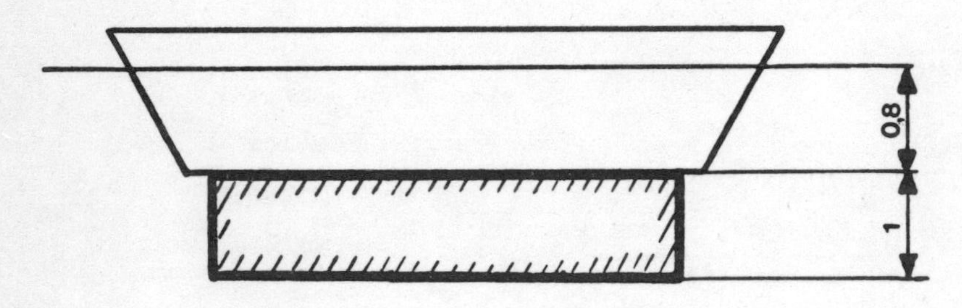

Fig. 28. Le bloc et sa compensation de flottabilité.

La détermination de la dimension de mes barques — c'est-à-dire de ce que j'ai appelé la « compensation de flottabilité » (voir page 88) n'a présenté aucune difficulté. Les blocs utilisés pour ma construction étant, nous l'avons dit, des monolithes de 2,560 m^3 pesant 6,144 t, la poussée d'Archimède — c'est-à-dire le poids en eau du volume du monolithe — s'élève à 2,560 t en sorte que chaque bloc, une fois immergé, ne représente plus qu'une charge de $6{,}144 - 2{,}560 = 3{,}584$ t (moyenne à Guizeh : 2,50 t). Il faut y ajouter le poids de la barque elle-même, que j'estime à 1,416 t (la « barque » utilisée à Bonneuil, qui aurait très bien pu convenir au transport des blocs de ma pyramide, ne pesait que 697 kilos), ainsi que le poids de l'équipage (4 marins et leur équipement) que nous supposerons représenter 500 kilos. Au total, nous aurons donc à faire flotter un poids de :

$$3{,}584 + 1{,}416 + 0{,}500 = 5{,}50 \text{ t.}$$

Compte tenu que le tirant d'eau permettant le transport et la mise en place des éléments est de 0,80 m (*fig.* 28), on aboutit à une portance hydraulique de :

$$5{,}500 : 0{,}80 = 6{,}875 \text{ m}^2. \text{ (33)}$$

Un gigantesque escalier hydraulique

Le problème qui me préoccupe maintenant est de préparer des voies... navigables à ces embarcations.

Mes blocs arrivant par le Nil, je dois prévoir une installation portuaire sur le fleuve puis, pour les acheminer jusqu'au lieu de la construction, un vaste système d'écluses permettant de passer du niveau du fleuve jusqu'au point haut situé sur le plateau. Avant de décrire le gigantesque escalier hydraulique grâce auquel je me propose d'atteindre ce résultat, il ne me paraît pas inutile de rappeler à grands traits comment fonctionne une écluse (*fig.* 29).

On sait que c'est par ce moyen que les bateaux circulant le long des canaux parviennent à franchir des dénivellations parfois importantes. Une écluse comprend un bassin ou sas, portion de canal limité par de puissantes portes métalliques séparant le bief d'aval B1 du bief d'amont B2. Pour faire passer un bateau du bief d'aval au bief d'amont, on met d'abord en communication le bief d'aval avec le sas, soit à l'aide de vannes, soit au moyen d'aqueducs. Dans le premier temps, la vanne V2 est fermée, la vanne V1 ouverte. Lorsque le niveau est le même dans le bief d'aval et dans le sas, la porte P1 est ouverte. Le bateau pénètre alors dans le sas.

La porte P1 est alors refermée, de même que la vanne V1. Il s'agit maintenant de mettre au même niveau le bief d'amont et le sas. Pour cela, on ouvre la vanne V2. En vertu du principe des vases communicants, l'eau monte maintenant dans le sas, en même temps que le bateau, jusqu'à atteindre le niveau du bief d'amont. La porte P2 est alors ouverte et le bateau peut poursuivre son chemin le long du bief d'amont (voir *fig.* 29 et 30).

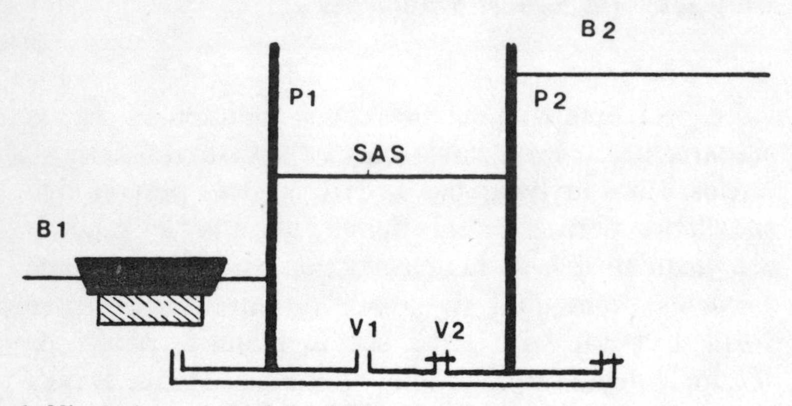

1. Mise à niveau du bief d'aval B1 et du sas.

▲

Fig. 29. Fonctionnement d'une écluse ▶

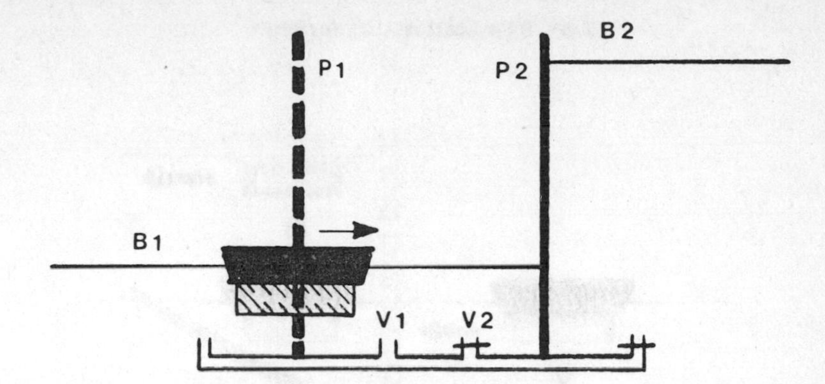

2. Le bateau pénètre dans le sas. Fermeture de P1 et de V1.

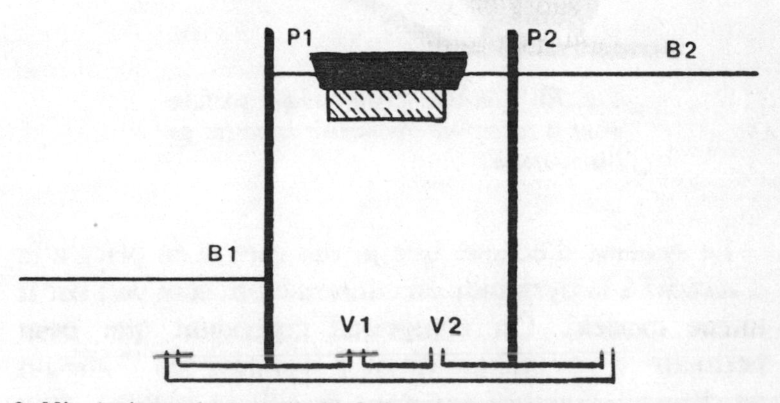

3. Misc à niveau du sas et du bief d'amont. V2 ouverte.

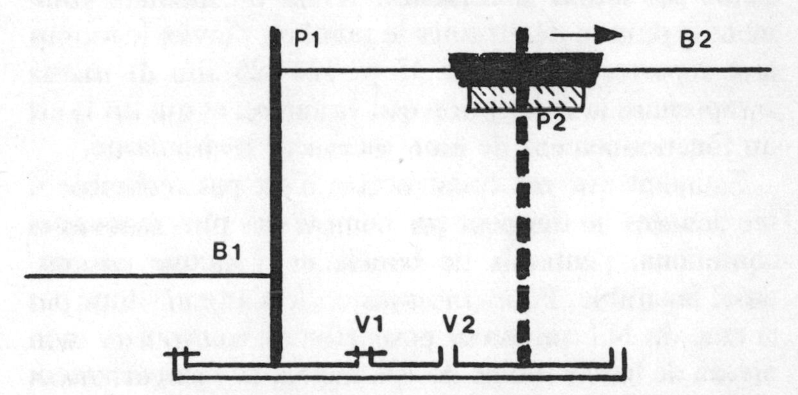

4. Ouverture de P2. Le bateau passe dans le bief d'amont.

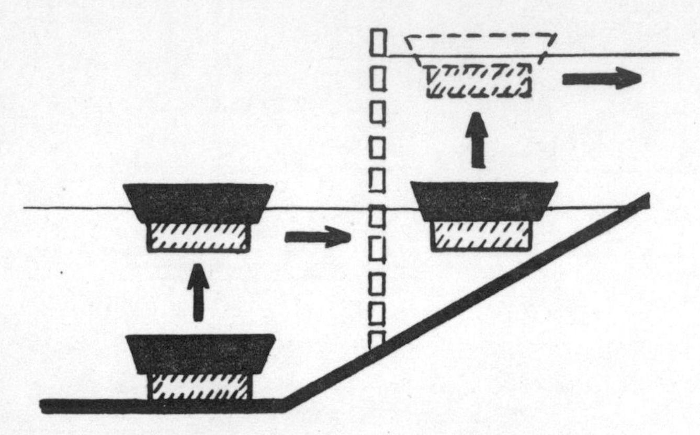

Fig. 30. L'échelle d'eau s'adapte parfaitement à toutes les contraintes imposées par l'inclinaison.

Le système d'écluses que je vais mettre en place afin d'accéder à la pyramide en construction, sera bâti sur le même modèle. On comprend cependant que pour permettre à nos embarcations d'escalader les 37 mètres de dénivellation qui séparent le Nil du plateau, plusieurs sas seront nécessaires. Avant de montrer comment je puis en déterminer le nombre, j'invite le lecteur à se reporter à la figure 31 p. 124-125 afin de mieux comprendre la description qui va suivre, et qui fut la clé du fonctionnement de mon ascenseur hydraulique.

Estimant que ma construction n'est pas réalisable si ses données ne tiennent pas compte des plus mauvaises conditions, j'entends ne bénéficier d'aucune circonstance favorable. Pour commencer, je n'attends donc pas la crue du Nil qui aurait pour effet de transporter mon niveau de base à moins de 400 mètres de l'emplacement choisi pour l'édification de ma pyramide. C'est au contraire à la période d'étiage, lorsque le fleuve — ou le canal — est à son niveau le plus bas et par suite, que le lieu choisi pour la construction est le plus éloigné, que commencent les travaux. Mon premier soin est de mettre en place le temple bas ou plus exactement l'ensemble portuaire destiné à recevoir les bateaux transportant les monolithes. C'est le bief d'aval de mon système d'écluses. Il se présente sous l'aspect d'une vaste piscine dont, pour des raisons que l'on comprendra bientôt, nous ne définirons pas encore la longueur et la largeur. Seule sa profondeur, liée au tirant d'eau de mes embarcations, peut d'ores et déjà être fixée à 2 mètres au-dessous du niveau bas des eaux du Nil, de façon que les bateaux venant du fleuve puissent y pénétrer directement.

Monter l'eau par seaux de 10 litres

Sur la face du fleuve, un premier pylône — appelons-le pylône 1 (*fig.* 31, p. 124) — aura deux accès de portes, l'un pour l'entrée, l'autre pour la sortie des bateaux, et qui seront fermés au moyen de poutres coulissant dans les rainures. Le second sas sera exactement de mêmes dimensions que le premier, le troisième que le second et ainsi de suite jusqu'au sommet. A l'intérieur de chacun d'eux, des dallages parfaitement appareillés comme savaient en réaliser les Égyptiens du troisième millénaire, permettront d'éviter les déperditions d'eau. On comprend que le fonctionnement d'une écluse multiple comme la nôtre fonctionne par couple de deux sas :

— sas 2 et 3
— sas 4 et 5
— sas 6 et 7

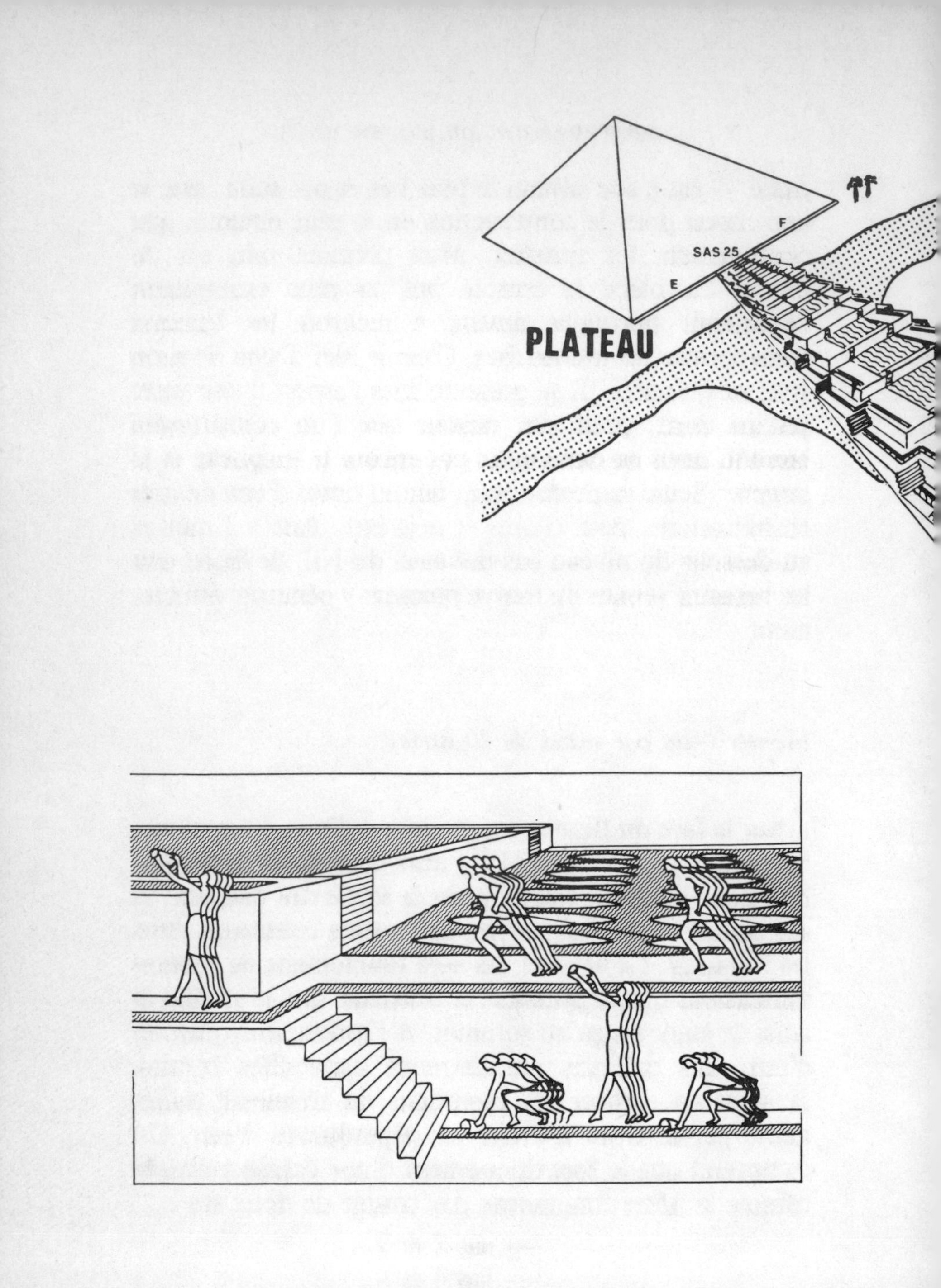
PLATEAU
SAS 25
F
E

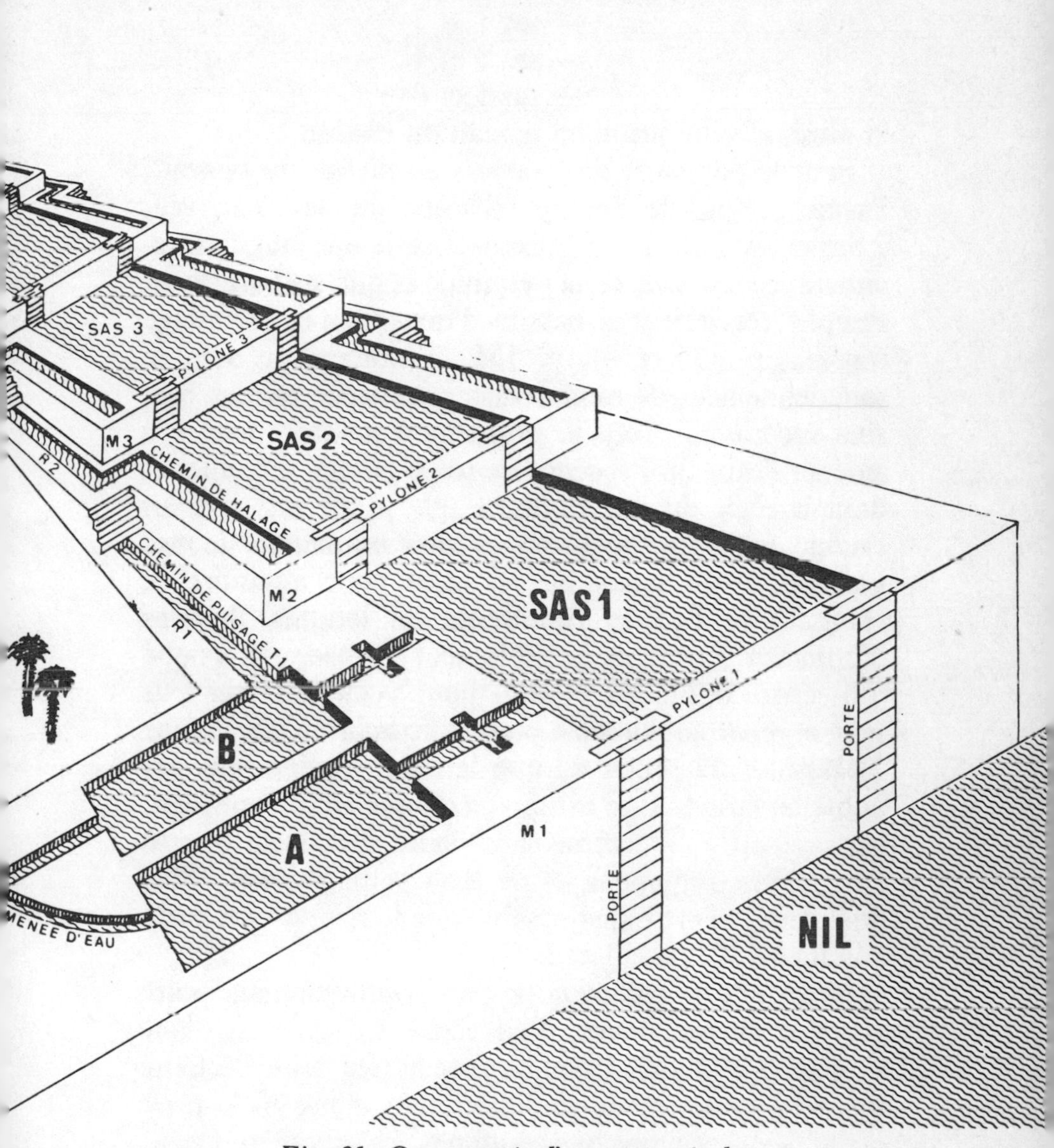

Fig. 31. Cette montée d'eau composée de 25 sas permet de transporter les monolithes jusqu'à la pyramide en construction.

puis, dans la deuxième phase, par un équilibre des
— sas 1 et 2
— sas 3 et 4
— sas 5 et 6
et ainsi de suite jusqu'au niveau du plateau.

Pour la poursuite des travaux au niveau du plateau, j'avais prévu, de part et d'autre du sas d'arrivée, 2 vastes bassins, E et F, disposés cette fois longitudinalement, tout le long de la pyramide et qui, suffisamment remplis, serviraient de bassins d'expansion et de puisage (*fig.* 31, p. 125 et 44, p. 156). Comme il se doit, le fonctionnement de mon écluse commence par les bassins supérieurs. Tout le problème consistait donc à y amener l'eau. En l'absence de toute pompe mécanique, dont la règle du jeu implique que je me sois interdit l'usage, je ne dispose que de la force musculaire de mes hommes et de seaux de 10 litres pour atteindre ce résultat ! Si l'on se représente de longues théories d'hommes traversant péniblement l'espace désertique qui sépare le Nil du plateau pour venir déverser leur seau et repartant aussitôt pour le remplir en une chaîne incessante, un projet tel que le mien confine sans nul doute au délire. Une astuce technique allait cependant me permettre — comme sans doute elle l'avait permis aux anciens Égyptiens — de tenir cette gageure. (Plus que jamais, il est indispensable que le lecteur se reporte à la figure 31, p. 124 et 125).

Nous allons commencer par approvisionner notre premier sas au moyen d'un canal. Ici intervient une première difficulté. Étant donnée la très faible déclivité du Nil — un tiers de millimètre par mètre — la prise d'eau devra se situer très en amont : 12 kilomètres pour être précis. Ayant comme on le verra à débiter 230 litres par seconde, le canal d'amenée devra avoir une section de 2 mètres carrés. Après avoir serpenté parmi les dunes en épousant la pente naturelle du terrain, il viendra aboutir près du sas n° 1 où il se déversera dans deux réservoirs de retenue, A et B, à chacun desquels a été attribuée une fonction bien déterminée : A sert à approvisionner le sas n° 1, B permet d'élever l'eau à l'aide de seaux. Le bassin A atteindra le niveau de 4,16 m au-dessus du Nil, ce qui lui permettra dans un premier temps de maintenir un même niveau de navigation dans les quatre premiers sas et de diminuer ainsi les temps de manœuvre. Il aura une deuxième fonction : celle de limiter les déperditions dues aux éclusées supérieures.

Trouvaille d'un constructeur

Le bassin B, approvisionné lui aussi par le canal d'amenée, était maintenu de jour comme de nuit à 4,16 m au-dessus du niveau du Nil. C'est ici qu'intervient l'astuce. Ce bassin B déverse en permanence de l'eau dans le petit ruisseau R1 qui se trouve donc, lui aussi, plein en permanence et qui est réservé au puisage. Des hommes placés sur la banquette de travail T1 n'avaient qu'à se baisser pour y remplir leur seau qu'ils déversaient ensuite dans le ruisseau de puisage R2 situé immédiatement au-dessus d'eux sur la partie M2 (*fig.* 31, encadré). De la même façon, les équipes placées sur la banquette T2 élevaient l'eau du ruisseau R2 jusqu'au ruisseau R3 situé sur M3 et ainsi de suite jusqu'au sommet. Calculées pour ne pas gêner les haleurs évoluant sur les chaussées M2, M3..., chacune des banquettes de puisage T1, T2... permettait ainsi à chaque équipe de manutentionnaires de puiser continûment l'eau déversée par l'équipe située immédiatement au-dessous d'elle.

Une nouvelle donnée découlait de cette astuce technique : pour qu'elle pût être exploitée, la hauteur séparant deux niveaux ne devait pas excéder la taille d'un homme (j'adoptais une taille moyenne de 1,66 m ; voir plus loin, p. 133). Du même coup, il devenait possible de déterminer le nombre de sas.

L'existence de chadoufs analogues à ceux qui ont été évoqués dans la première partie de cet ouvrage ou de saqquiehs, sortes de norias primitives, au troisième millénaire avant notre ère, n'étant pas confirmée, je m'abstins de les faire intervenir. Je trouvais plus sage de m'en rapporter aux données que j'avais pu personnellement recueillir lors de mon expérience de Bonneuil. Le rendement que j'avais alors demandé — 3,6 m cubes à l'heure puisés, élevés et déversés à 1,66 m de hauteur, soit un seau de 10 litres toutes les dix secondes — avait été obtenu sans peine par l'ouvrier chargé de l'opération puisqu'il lui suffit d'un peu moins de cinquante minutes pour la mener à bien. (J'ai dit avoir utilisé des pompes mécaniques le jour de l'expérience publique mais ce fut uniquement pour accélérer la manœuvre afin de ne pas lasser l'attention des spectateurs.) Quoi qu'il en soit, le remplissage des bassins supérieurs nécessaire au fonctionnement de mon système d'écluses, qui pouvait sembler au départ une entreprise démesurée, apparaissait maintenant, sans jeu de mots, comme une tâche... à hauteur d'homme.

A ce stade de mon exposé, une objection se présente sans doute à l'esprit du lecteur attentif. Fort bien, nous dit-il, vous avez prévu les carrières d'où seront extraits vos monolithes, vous avez fait construire les embarcations qui les transporteront par le moyen que vous avez redécouvert, vous avez conçu l'ingénieux artifice sans lequel votre système d'écluse ne pourrait fonctionner. Mais comment manipulerez-vous les pierres dont vous avez besoin pour construire votre chaussée hydraulique étant donné que ces pierres doivent vous être apportées par des barques qui devront précisément utiliser cette chaussée pour se déplacer ?

Osier et pierrailles

Élémentaire, mon cher lecteur ! C'est à l'aide de *gabions* (voir *fig.* 32, p. 130) que nous allons créer les retenues d'eau nécessaires au passage des barques et à l'intérieur desquelles seront déposées les lourdes pierres nécessaires à la construction de l'ouvrage définitif. De même, c'est de gabions que nous nous servirons le moment venu pour créer à l'emplacement de la pyramide le lac artificiel sur lequel débouchera le dernier sas de notre système d'écluses. Probablement vieille comme le monde — on peut en tout cas affirmer sans grand risque de se tromper que les Égyptiens de l'Ancien Empire ne l'ignoraient pas — la technique du gabion n'a été redécouverte qu'à une date relativement récente (une cinquantaine d'années). Elle est couramment utilisée aujourd'hui pour la réalisation d'ouvrages qui vont de la simple protection des berges jusqu'aux grands barrages de retenue en passant par la correction du lit des rivières et des torrents de montagne, les ouvrages de détournement (batardeaux), la protection des culées et des piles de pont, le soutènement des routes et des talus... Souple et facile à mettre en œuvre, elle dispense

Première assise : 3 rangées de gabions. Intercalation d'une quatrième.

Deuxième assise : 6 rangées. Intercalation d'une 7e.

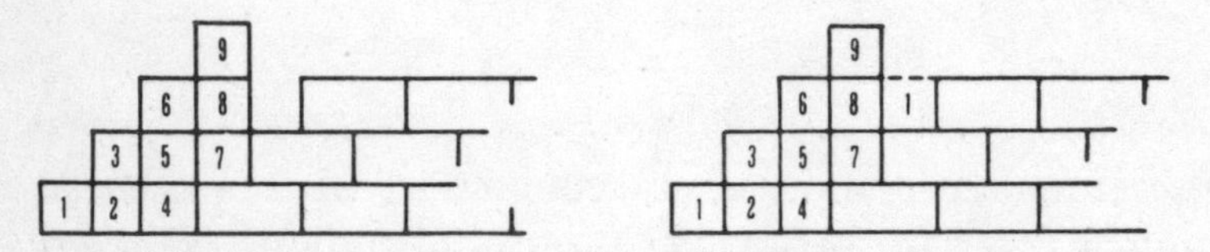

Troisième assise : 9 rangées. Réutilisation de la 1re.

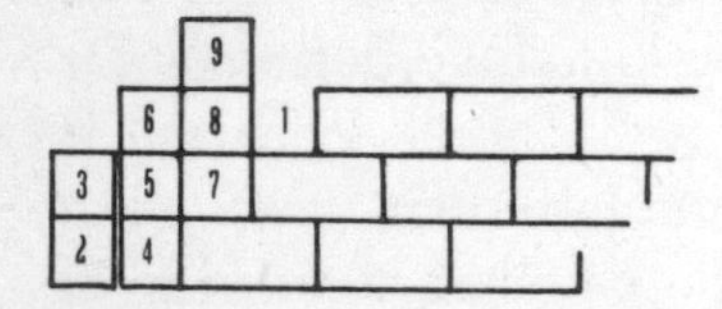

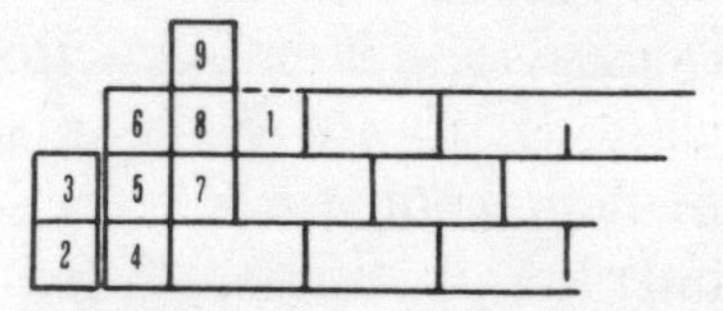

Mise en place du gabion n° 1.

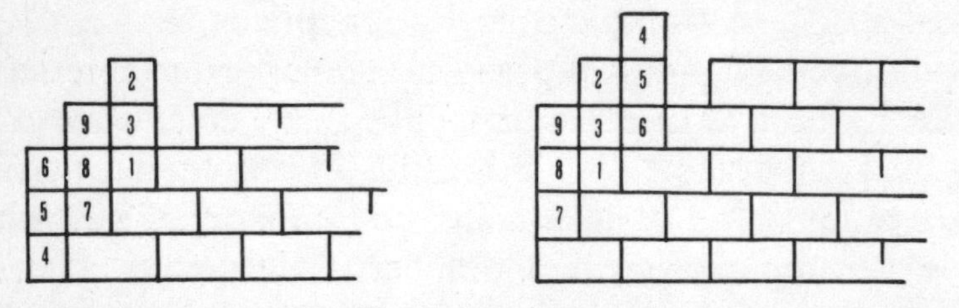

Réutilisation des gabions 2 et 3 pour la 4e assise.

Fig. 32. Système de gabionnage.

de recourir à des fondations coûteuses. Un gabion n'est en effet rien de plus qu'un caisson de forme parallélépipédique ou cubique que l'on remplit de pierrailles et de cailloux après l'avoir mis en place. Les Égyptiens, qui ne connaissaient pas l'acier doux galvanisé dont on se sert aujourd'hui pour fabriquer ces paniers de grillage, pouvaient réaliser les leurs à l'aide d'osier et en assurer l'étanchéité avec de la glaise. Leur poids à vide ne devait pas excéder une quinzaine de kilos. Une fois rempli — 0,800 m^3 de pierrailles liées à 0,600 m^3 de glaise permettent de constituer 1 mètre cube — le gabion devient un élément de maçonnerie à part entière que l'on peut, si besoin est, laisser en place ou simplement utiliser comme coffrage afin de permettre la construction à l'aide d'un matériau plus « noble ». Sous cette dernière forme, le principe même de la construction de ma pyramide impliquait que nous en fassions un usage intensif. Nous ne nous en sommes pas privés, d'autant que les tonnes de débris provenant du décapage du plateau et de la chaussée nous fournissaient sur le chantier lui-même le moyen de les fabriquer rapidement. Les chiffres que je fournirai plus loin donneront une idée des volumes réalisés par gabionnage (v. p. 149).

Le système ainsi défini n'est cependant encore fonctionnel qu'en perspective. Il importe à présent d'en définir les dimensions en fonction du but qui m'est assigné par l'hypothétique maître de l'ouvrage : l'achèvement des travaux dans un délai de vingt ans. S'agissant d'un chantier de l'ampleur de celui qui va s'ouvrir, aucun détail ne doit être abandonné au hasard ou à l'improvisation. L'ensemble doit constituer une mécanique bien réglée dont les rouages s'engrènent les uns dans les autres suivant une hiérarchie minutieusement étudiée. Qu'un seul de ses éléments soit négligé — ou mal pensé — et il bascule, au risque de compromettre l'entreprise tout entière. Or, de la taille et du nombre des embarcations jusqu'à la quantité d'eau à puiser quotidiennement dans le Nil, le nombre d'éléments à prendre en compte est considérable. En l'absence d'ordinateur, il faut procéder par approches successives jusqu'à obtenir une coordination satisfaisante, ce qui m'oblige à faire des calculs d'une complexité parfois... pyramidale. Sans vouloir infliger au lecteur le détail de ces calculs, je voudrais lui indiquer de quelle manière je suis parvenu à les mener à bien.

270 monolithes par jour

On a vu qu'un certain nombre de données me sont déjà acquises : parce qu'elles sont liées à la forme et à la taille de l'édifice à ériger, imposées par l'emplacement choisi, ou parce qu'elles résultent du moyen que j'ai adopté pour le transport et la mise en place des pierres. Je les rappelle rapidement :

— le nombre de blocs qu'impliquent les dimensions de ma pyramide ;

— la taille de chacun de ces blocs à partir de laquelle à été évaluée la surface de flottabilité de mes barques : 6,875 m^2 ;

— la dénivellation du plateau par rapport au Nil (40 mètres) et sa distance (888 mètres) ;

— la différence de niveau entre deux sas voisins de mon système d'écluses, déterminée en fonction de la taille moyenne d'un homme et de l'effort que l'on peut raisonnablement exiger de lui pendant des durées importantes (3,6 m^3 d'eau à l'heure sous forme de seaux de 10 litres élevés à cette hauteur) soit 1,66 m;

— coiffant le tout, l'objectif à atteindre dans le délai qui m'est imparti.

Les données qui me restent à préciser découlent évidemment des précédentes.

Au risque d'énoncer une lapalissade, je rappellerai que la pyramide est ainsi faite que le nombre de blocs nécessaires pour constituer une assise diminue à mesure qu'on s'élève. Il en faut 21 025 pour réaliser la 1re, il n'en faut plus qu'un pour réaliser la 145e (voir Annexe 1, p. 177). En revanche les petits lacs artificiels que nous devons créer autour de chaque assise étant situés plus haut sont de plus en plus difficiles à approvisionner — du moins exigent-ils que l'eau soit montée plus haut. Un rapide calcul permet bien entendu de chiffrer cet avantage et cet inconvénient. En particulier, il fait apparaître qu'à elles seules, les quatre premières assises représentent 25 % en volume, c'est-à-dire en nombre de blocs, de ma pyramide tout entière. A partir de cette donnée, j'en viens à établir que pour respecter les délais, il faudra « monter » dès la première année près de 100 000 blocs (exactement : 97 834), la seconde 92 942... et « seulement » 4 892 la vingtième et dernière année (voir Annexe 1, p. 177 à 181). 97 834 blocs, cela suppose que je suis en mesure d'assurer le transport de :

97 834 : 365 = 270 monolithes chaque jour.

Chaque embarcation n'étant appelée à transporter qu'un seul monolithe à chaque voyage, cela signifie 270 voyages pour un seul bateau — éventualité que l'on peut d'emblée rejeter comme absurde — ou un voyage quotidien pour 270 bateaux. Ceci représente une éventualité acceptable dans la mesure où ce nombre ne signifie pas encombrement à l'entrée de notre système d'écluses, c'est-à-dire que les barques et les bassins de notre écluse ont des dimensions telles que 270 barques puissent y transiter chaque jour en un ou plusieurs passages. Ici, le lecteur se souviendra que nous nous sommes abstenus de préciser la longueur et la largeur de nos barques. Seule pour l'instant nous est connue leur surface de flottabilité, c'est-à-dire le produit de cette longueur par cette largeur, cela afin de les mettre en rapport avec les dimensions de nos sas, lesquelles restent encore à déterminer. Ainsi le moment est-il arrivé de revenir à notre système d'écluses.

Un ballet minutieusement réglé

Les deux ouvrages — la pyramide d'une part, le système d'écluses d'autre part — étant intimement liés, il m'est rapidement apparu qu'il ne serait pas rationnel d'attendre que soit achevé le sas supérieur de l'écluse pour entamer l'érection de la pyramide. J'ai donc prévu de mettre en place plusieurs assises de celle-ci avant même que l'écluse soit parvenue à l'aplomb de la base du monument. Par ailleurs, autant pour les besoins du puisage que pour compenser les déperditions d'eau dues à chaque éclusée, j'ai besoin de constituer d'importantes réserves au-dessus du niveau du plateau. C'est la fonction que j'assigne aux deux bassins E et F qui flanquent le sas supérieur (cf. p. 151). Pour répondre à ces nécessités, je décide que le dernier sas de mon canal d'accès se situera à 7 mètres au-dessus du niveau du plateau, (ce qui me permettra de « monter » ma pyramide jusqu'à la 6e assise), soit au total à 44 mètres au-dessus du niveau du fleuve. La hauteur de chaque niveau ayant été fixée à 1,66 m, je me trouve à présent en mesure de calculer le nombre de sas. En effet, le niveau du premier sas ayant été d'entrée de jeu fixé à 4,16 m au-dessus du niveau du Nil (de même, je le rappelle, que le bassin A servant à son approvisionnement, et le bassin B servant à l'alimentation des ruisseaux de puisage), il me reste 44 – 4,16 = 39,84 m, soit :

39,84 : 1,66 = 24 niveaux, donc 25 sas.

La distance au Nil étant de 888 mètres, chacun de ces bassins aura donc pour longueur entre maçonneries (pour lesquelles la poussée de l'eau m'oblige à prévoir une épaisseur de 1,50 m : 888 : 25 = 35,50 m.

Pour la largeur de ces bassins, les calculs me conduisent à adopter la dimension indiquée par Hérodote, 17,70 m, ce qui correspond à très peu de choses près à la moitié de leur longueur. Il me reste maintenant, à partir de ces données à déterminer les dimensions de mes embarcations que, pour plus de simplicité, nous supposerons rectangulaires. Le tout, en fonction du rendement que je me propose d'atteindre, c'est-à-dire, on l'a vu, l'acheminement de 270 monolithes par jour.

Il ne saurait être question de faire pénétrer 270 embarcations dans un même sas, d'autant qu'il faut en permettre l'accès et le dégagement. En revanche, compte tenu qu'une éclusée représente deux heures de travail, rien ne m'interdit de répartir cette armada en plusieurs éclusées. Après divers essais, je m'arrête au chiffre de 5, ce qui représente 56 barques à admettre à chaque passage. Cette fois, l'opération me paraît réalisable, à condition de donner à mes barques une taille appropriée. Dans le sens transversal, en prévoyant de part et d'autre de chacune d'elle une distance de sécurité

ASCENSION DU PLATEAU PAR L'ÉCHELLE D'EAU

N° du pylone ou de la porte	Longueur de bief	Épaisseur du mur de sas	Longueurs cumulées	Niveaux atteints
1	Nil	2,00	2,00	4,16
2	35,50	1,50	37,00	5,82
3	35,50	1,50	74,00	7,48
4	35,50	1,50	111,00	9,14
5	35,50	1,50	148,00	10,80
6	35,50	1,50	185,00	12,46
7	35,50	1,50	222,00	14,12
8	35,50	1,50	259,00	15,78
9	35,50	1,50	296,00	17,44
10	35,50	1,50	333,00	19,10
11	35,50	1,50	370,00	20,76
12	35,50	1,50	407,00	22,42
13	35,50	1,50	444,00	24,08
14	35,50	1,50	481,00	25,74
15	35,50	1,50	518,00	27,40
16	35,50	1,50	555,00	29,06
17	35,50	1,50	592,00	30,72
18	35,50	1,50	629,00	32,38
19	35,50	1,50	666,00	34,04
20	35,50	1,50	703,00	35,70
21	35,50	1,50	740,00	37,36
22	35,50	1,50	777,00	39,02
23	35,50	1,50	814,00	40,68
24	35,50	1,50	851,00	42,34
25	35,50	1,50	888,00	44,00

de 20 centimètres, je constate que je peux placer côte à côte 8 embarcations dc 1,70 m de largeur.

C'est le moment de me souvenir du chiffre de leur portance hydraulique, déterminée, comme on le sait, en fonction du monolithe que chacune doit transporter, soit 6,875 m^2 (voir p. 119). Il me permet de calculer la longueur de mes barques soit :

$$6{,}875 : 1{,}70 = 4{,}05 \text{ m.}$$

En prévoyant là encore, cette fois dans le sens longitudinal, quelques centimètres de sécurité entre chacune, je constate, que la longueur de mon bassin me permet de placer en file 8 embarcations (*fig*. 33). Au total, chaque sas permettrait de contenir 64 embarcations. Mais il serait alors saturé et ne permettrait aucune manœuvre. Avec 56 embarcations (*fig*. 35, p. 139), je dispose au contraire de la possibilité de laisser libre soit une file montante pour les embarcations chargées de leur monolithe, soit une file descendante pour les embarcations délestées de leur chargement. Le transit s'effectue par transferts successifs, longitudinaux puis latéraux.

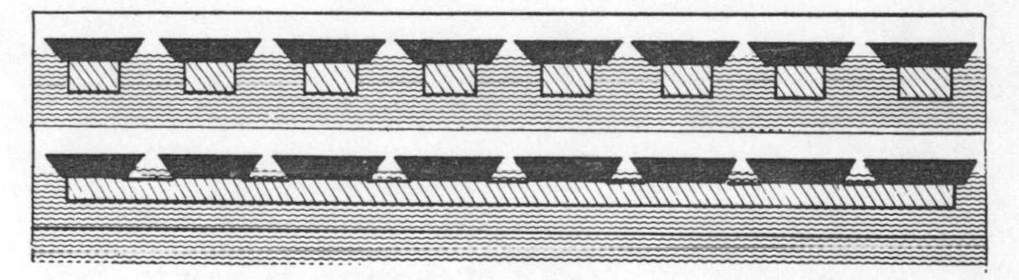

Fig. 33. Dans ce système d'écluses, 8 barques peuvent transporter ensemble un monolithe 8 fois plus lourd, soit 48 t.

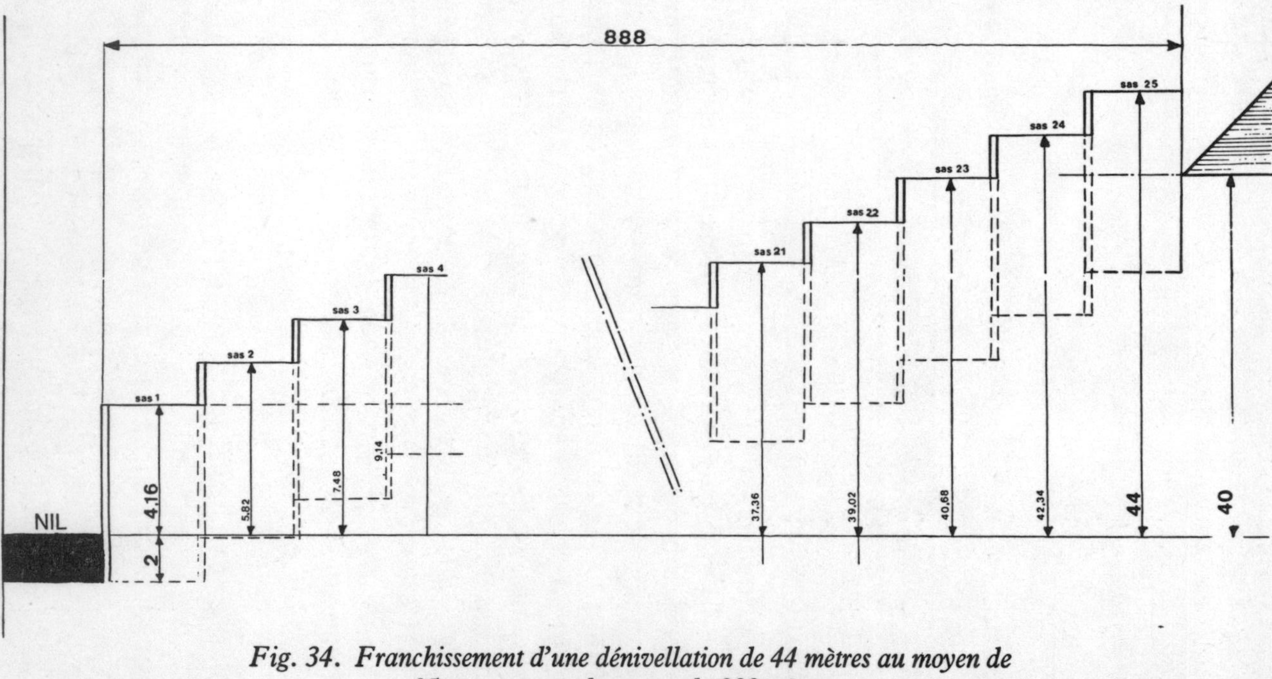

Fig. 34. Franchissement d'une dénivellation de 44 mètres au moyen de 25 sas, sur une longueur de 888 mètres.

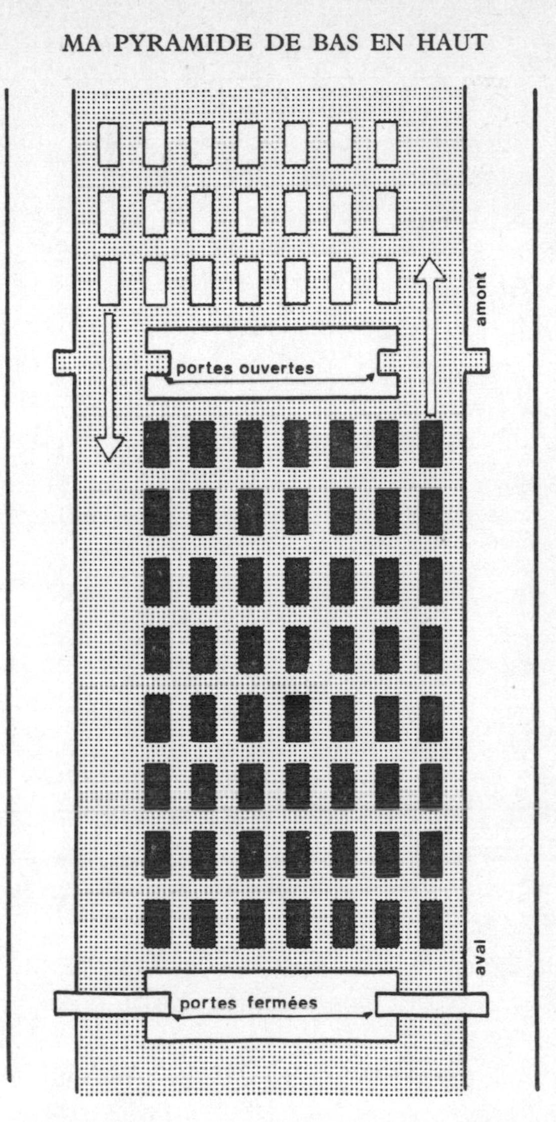

Fig. 35. A chaque éclusée, on peut faire franchir un sas à 56 embarcations.

Les barques venant du Nil seront introduites dans le sas n° 1 à raison de 7 files de 8 équipages qui se rangeront en ligne à partir de la file de gauche (babord), la 8e file demeurant libre (voir *fig.* 38).

Dans le sas n° 2, 56 barques vides attendront le passage. Elles seront rangées elles aussi sur 7 files de 8, mais cette fois du côté droit (tribord), la file de gauche demeurant libre. Quand l'ouverture de la communication entre les sas permettra d'établir un même niveau d'eau, la file de droite des barques vides venant du sas n° 2 viendra occuper la file laissée vide dans le sas n° 1, pendant que la file de droite des barques pleines viendra occuper la file libre du sas n° 2. Un déplacement latéral sera alors effectué dans chaque sas, à droite pour le sas bas, à gauche pour celui du dessus. Ces déplacements successifs permettront aux bassins d'échanger leurs embarcations.

Deux hommes suffisent — j'en ai fait l'expérience à Bonneuil, pour tirer une embarcation en charge. Dans le cas présent, j'ai prévu que chaque barque aurait un équipage de 4 hommes. Les $56 \times 4 = 224$ hommes qui se trouvent réunis autour de chaque sas sont donc facilement en mesure d'assurer la manœuvre complète de l'éclusée. Ils disposent de deux heures pour cela. Une heure étant nécessaire pour mettre 2 sas au même niveau, chaque file dispose donc en moyenne de dix minutes pour manœuvrer sur 75 mètres de parcours (la longueur de 2 sas). Bien entendu, j'ai eu soin de vérifier que cela n'implique pas un effort surhumain, impossible à soutenir pendant de longues durées : il ne nous fallait que quelques secondes à Bonneuil pour parcourir plus de 20 mètres.

3

Les travaux et les jours

Une précision de quelques millimètres à l'échelle de 5 hectares

Hérodote, dont le récit me sert de banque de données, m'accorde un délai de vingt ans pour la construction de la pyramide elle-même, et un délai de dix ans pour mener à bien la réalisation de la chaussée processionnelle, c'est-à-dire de mon système d'écluses. On sait que j'ai établi tout le planning des travaux en fonction du premier chiffre. En ce qui concerne le second, je choisis en revanche de me réserver une marge de sécurité de 50 % et par conséquent, de réaliser mon canal en cinq ans au lieu de dix. Toutefois, afin de disposer de tout le matériel et de tous les matériaux nécessaires dès le jour de l'ouverture du chantier, j'ai prévu une période préparatoire de quatre ans et demi pendant lesquels les tailleurs de pierres, de même que les vanniers chargés de confectionner les gabions, de même que les artisans préposés à la fabrication des barques devront constituer les réserves nécessaires (voir à ce sujet l'annexe 1, p. 177 à 181). Les grandes lignes du projet étant maintenant fixées, les architectes placés sous mes ordres mettront à profit cette période préparatoire pour établir leurs plans détaillés assise par assise afin que tout soit prêt pour le jour « J ». De leur côté, les géomètres auront procédé à des relevés minutieux tant sur le plateau que dans l'espace désertique que doit traverser le futur escalier hydraulique.

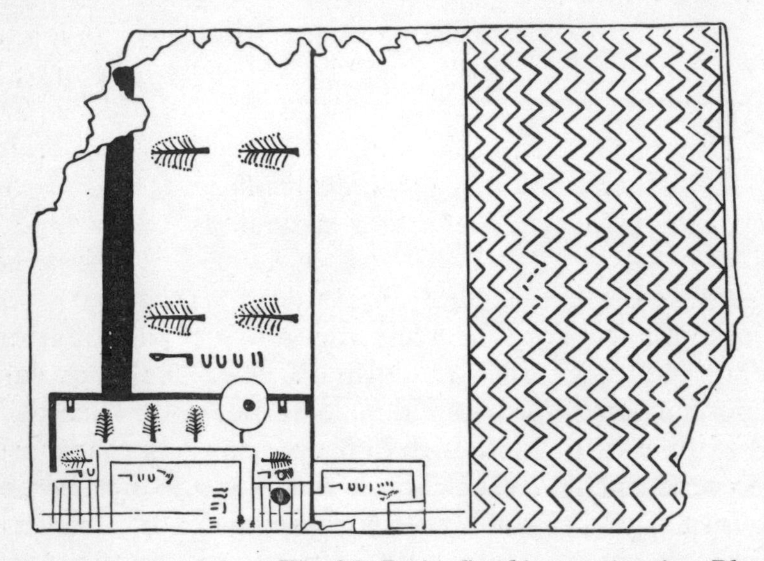

Fig. 36. Projet d'architecture égyptien. Plan coté d'un kiosque reposoir.

Une intense animation marque le jour de l'ouverture du chantier.

Sur le plateau, des équipes bien structurées commencent aussitôt les travaux d'implantation de la pyramide. A l'époque de l'Ancien Empire (*fig.* 36), ce sont les prêtres qui déterminaient l'orientation des monuments, en fonction de données astrales (35). Sur leurs indications, l'arête de base était matérialisée au sol au moyen de deux jalons (*fig.* 37, A et B p. 144). On procédait ensuite au nivellement du plateau. Il est vain de prétendre réaliser une pyramide parfaitement régulière, dont les assises soient rigoureusement parallèles, dont les cotes et les alignements soient scrupuleusement respectés, à partir d'une base imparfaite. En ce domaine, les bâtisseurs égyptiens ont atteint une précision difficile à égaler, même par les instruments d'optique sophistiqués dont on dispose aujourd'hui. Je renvoie le lecteur à la description que j'ai faite (p. 26 à 36) de la pyramide de Khéops. Pour obtenir une précision semblable — quelques millimètres pour une surface de plus de 5 hectares — une seule solution me paraît possible : l'immersion totale du site !

On m'objectera que l'évaporation aurait tôt fait de faire disparaître l'eau déversée, surtout en Égypte où la chaleur est souvent accablante. Je pallierai cet inconvénient en recourant au meilleur anti-évaporant qui existe : l'huile (monopole royal). D'une densité plus faible que celle de l'eau, la pellicule de surface se reformera après chaque manipulation, prévenant ainsi l'évaporation. A l'échelle d'un tel chantier, la dépense serait dérisoire, un film d'un millimètre d'huile réparti sur la surface totale ne représentant qu'environ 5 000 litres. A noter que la pyramide étant construite sur un socle rocheux, on s'abstiendra de tout araser. On veillera au contraire à conserver les parties saines. Ces redans (ou saillies) permettront à la fois de diminuer le nombre de blocs à mettre en œuvre en même temps que la quantité d'eau nécessaire au nivellement. Une fois le plateau arasé, on peut achever l'implantation de la pyramide.

S'ils ignoraient le théorème de Pythagore, les Égyptiens connaissaient en revanche fort bien le triangle dont les côtés ont pour mesure 3,4 et 5. Il porte d'ailleurs le nom de triangle égyptien. C'est un triangle rectangle qu'ils utilisaient pour déterminer un angle droit. Nous allons procéder de la même manière pour matérialiser

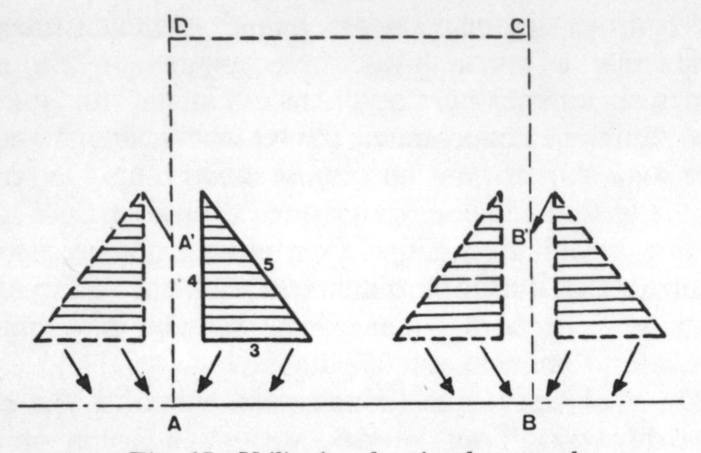

Fig. 37. Utilisation du triangle rectangle pour matérialiser la base de la pyramide.

sur le plateau la base de notre pyramide. Pour cela (*fig.* 37), il suffit de placer notre « équerre égyptienne » le long de la ligne AB précédemment marquée par des jalons, angle droit placé successivement en A et en B (on retournera l'équerre afin de vérifier). En joignant AA′ et BB′ on obtient aisément les points C et D tels que AD = BC = AB = CD.

Les dimensions de la base de la Grande Pyramide, sans nul doute implantée par ce moyen, sont les suivantes (relevé de J. H. Coles en 1925) :

face nord : 230,254 m
face sud : 230,454 m
face est : 230,391 m
face ouest : 230,357 m

ce qui donne les angles :

nord-est : 90°.3′.2″
nord-ouest : 89°56′58″
sud-est : 89°56′27″
sud-ouest : 90°.0′.3″

Elles font apparaître une erreur de plus ou moins 20 centimètres entre les mesures extrêmes, et une erreur variant entre + 9 et – 11 cm par rapport à une cote moyenne de 230,364 m. Autant dire qu'elles sont d'une précision remarquable, d'autant plus que la présence des saillies conservées sur le noyau central ne permettait pas un contrôle plus précis par la mesure des diagonales. Nous ne pourrons pas faire mieux.

Les architectes Hémiunu et Weppemnoffret avaient établi pour la pyramide de Khéops un plan complet de la construction assise par assise. Une fois cette implantation réalisée, ils déterminèrent sur le sol les réservations à prévoir pour la mise en place du puits funéraire et des diverses cavités, chambre royale, chambre dite « de la reine », grande galerie et divers couloirs d'accès. Une partie de ces cavités se trouvant dans le socle rocheux, les travaux de creusement commencèrent vraisemblablement aussitôt. Pour notre part, je l'ai dit, nous n'avons prévu aucun aménagement à l'intérieur de notre pyramide, cela à seule fin de ne pas introduire un élément de complexité supplémentaire dans la description de notre programme de travail (36).

Les arpenteurs poursuivent donc leur tâche. La base de notre pyramide étant maintenant matérialisée au sol, une deuxième implantation, liée à la première, devra permettre de déterminer la forme définitive du monument. Tout en étant fort simple à exécuter, cette opération est d'une importance capitale : c'est elle qui rendra possible à tout instant le contrôle des alignements. Il s'agit de figurer sur le terrain, de manière très concrète, les pentes et les arêtes de la future pyramide.

Pour cela, d'habiles artisans sont chargés de confectionner à l'aide d'ossatures de bois des gabarits (l'échelle 1/50 m'a paru parfaitement convenir) de 8 demi-

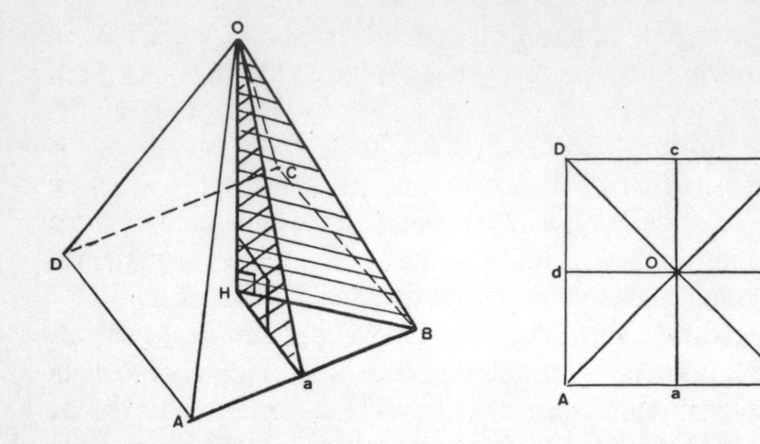

Des gabarits permettent de figurer au sol
les pentes et les arêtes de la future pyramide.

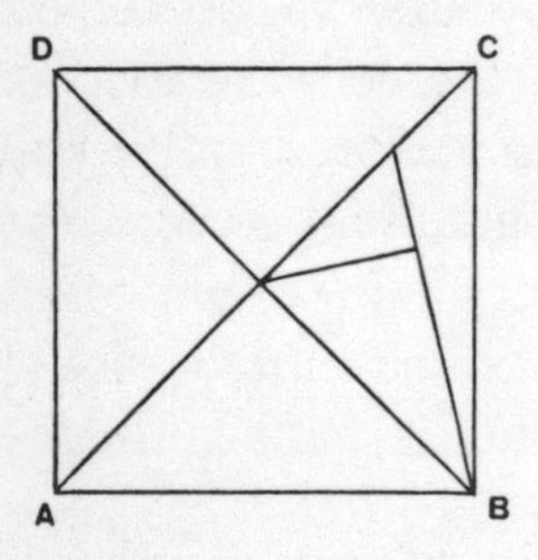

Rabattement d'une ferme arêtier

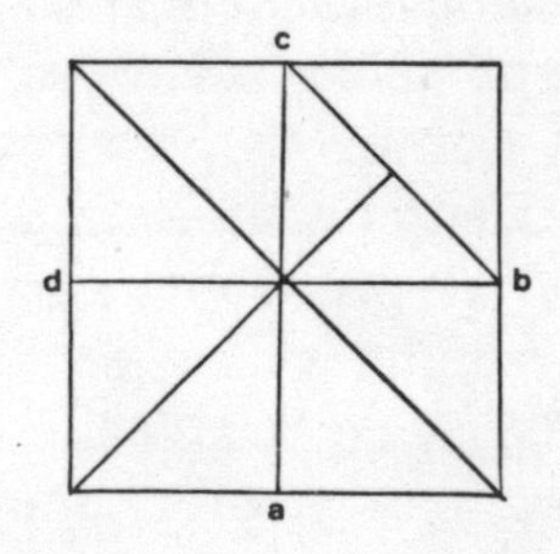

Rabattement d'une ferme latérale

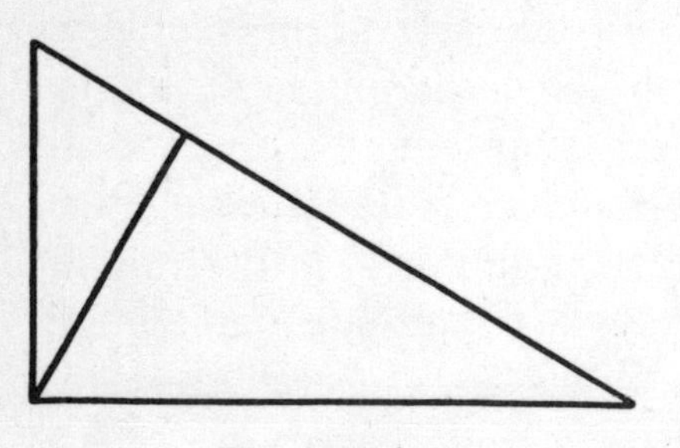

Ferme arêtier

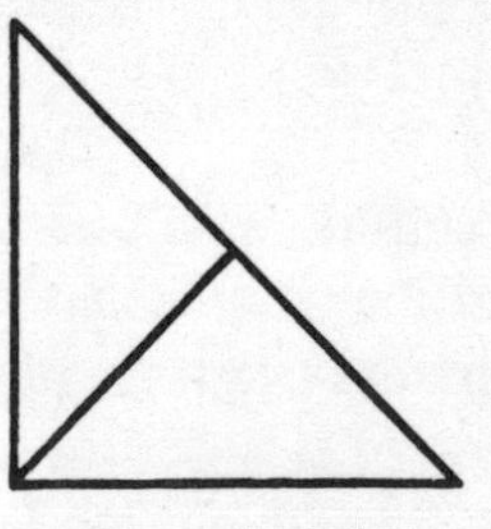

Ferme latérale

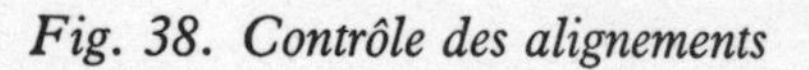

Fig. 38. Contrôle des alignements

fermes (37), les quatre premières correspondant aux angles arêtiers (angles que font les arêtes OA, OB, OC, OD avec la base de la pyramide, matérialisés (*fig.* 38) par les angles OAH, OBH, OCH et ODH, les quatre autres correspondant à l'angle que forment les faces de la pyramide avec sa base, représenté sur notre figure par les angles OaH, ObH, OcH et OdH (et égaux à 45° dans le cas de notre pyramide).

La base ABCD de la pyramide étant implantée au sol, des demi-fermes seront positionnées exactement dans la direction des diagonales dans le cas des arêtiers OAH, OBH, OCH, ODH, et perpendiculairement aux côtés AB, BC, CD, DA, dans le cas des autres : OaH, ObH, OcH, OdH, mais à l'extérieur de la délimitation de façon qu'elles ne soient pas englobées dans la maçonnerie. Un soin tout particulier sera apporté à la confection et au positionnement de ces gabarits. Ce sont eux qui, à l'aide du bay et du merkhet (*fig.* 39, et 40 p. 148), sortes

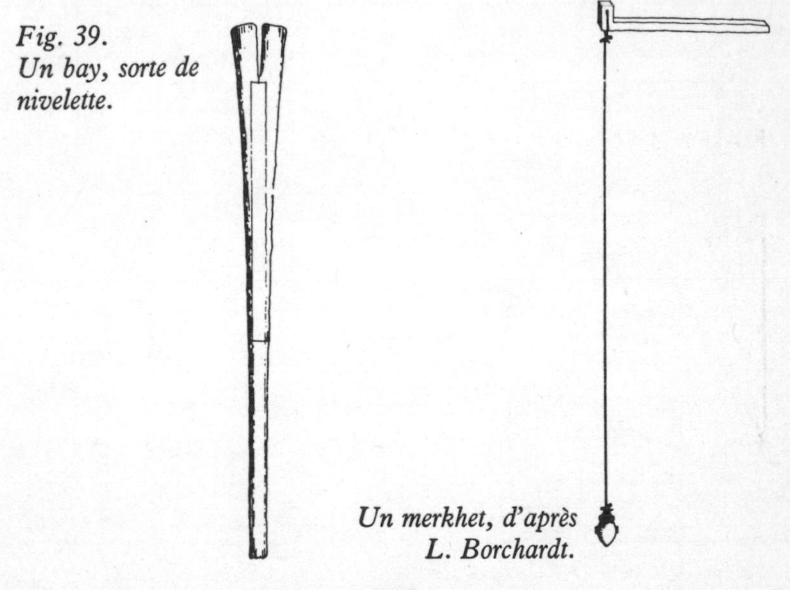

Fig. 39.
Un bay, sorte de nivelette.

Un merkhet, d'après L. Borchardt.

de nivelettes antiques, permettront, par prolongements successifs, de viser avec précision le sommet de la pyramide et de s'assurer que la construction en cours ne s'écarte pas de la pente prévue (*fig.* 41), sans qu'il soit nécessaire, comme on l'a écrit avec quelque naïveté, de dresser à partir du centre de la base, un poteau de la hauteur de la pyramide !

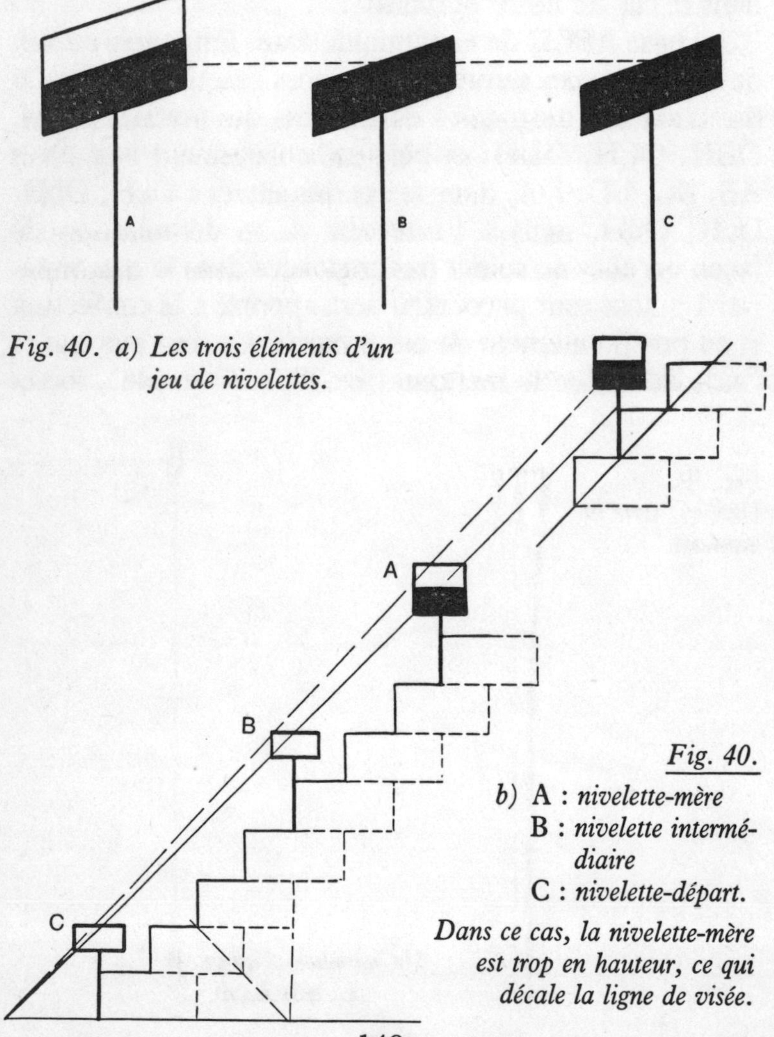

Fig. 40. *a) Les trois éléments d'un jeu de nivelettes.*

Fig. 40.

b) A : *nivelette-mère*
B : *nivelette intermédiaire*
C : *nivelette-départ.*

Dans ce cas, la nivelette-mère est trop en hauteur, ce qui décale la ligne de visée.

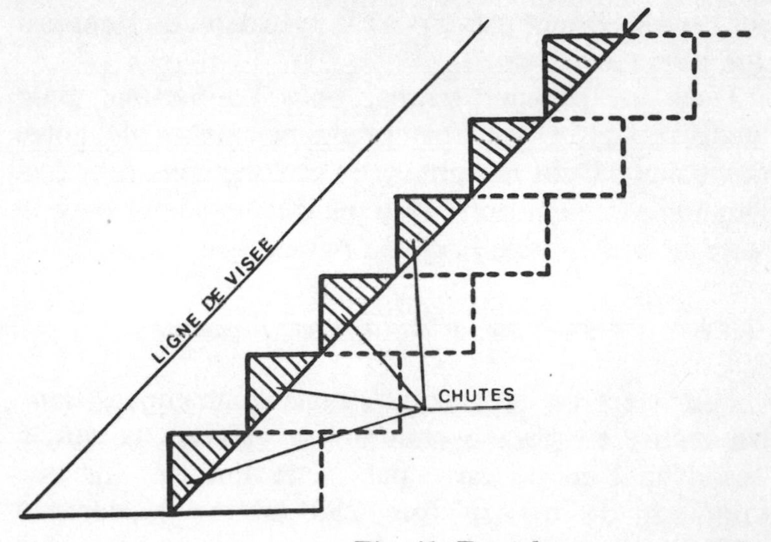

Fig. 41. Tracé des pentes parementées de la pyramide.

Autour de la base à présent clairement délimitée, le terrain est arasé et dégagé. On peut maintenant commencer à mettre en place les premiers gabions. Le volume des déblais est considérable. Sur l'ensemble du site, on retire en moyenne, (plateau et chaussée) une épaisseur de 50 centimètres de pierraille. Une vingtaine de mètres étant à prévoir autour de la base, c'est donc : $250 \times 250 \times 0{,}50 = 31\,250$ m^3 de pierraille qui seront « extraits » du plateau. Ils serviront à la confection des gabions. Quant aux matériaux provenant du décapage de la chaussée, ils représentent $888 \times 21{,}30 \times 0{,}50 = 9\,457{,}5$ m^3 qui seront utilisés pour combler les dépressions du terrain et créer les emmarchements de notre escalier géant.

On sait maintenant que, pour permettre aux barques qui déboucheront du dernier sas de notre écluse d'aller déposer leur chargement, notre intention est de créer, sur l'emplacement prévu pour la pyramide, un gigantesque réservoir d'eau.

Dans un premier temps, nous l'utiliserons pour mettre en place les trois premières assises de notre monument. Dans la suite, nous prolongerons cette fois longitudinalement notre système d'écluses pour bâtir la suite de la pyramide jusqu'au pyramidion.

Des lacs artificiels autour de la future pyramide

Pour créer ce lac artificiel, nous commençons donc par mettre en place 3 hauteurs de gabions, ce qui, à raison de 1 mètre carré par mètre linéaire, sur une longueur de quatre fois 250 mètres représente 3 000 mètres cubes auxquels s'ajoute le volume des coffrages longitudinaux et transversaux qui serviront à édifier les différents bassins du système d'écluses, soit deux longueurs de 888 mètres sur une hauteur moyenne de 6 mètres (voir *fig.* 42, p. 151).

21 gabions par mètre linéaire et par face représentent un volume total de $888 \times 2 \times 21 = 37\,296$ m^3, auxquels s'ajoutent le volume des gabions placés, également sur 6 niveaux, sur les faces latérales des 24 sas soit $(17{,}70 + 3{,}60 + 3{,}60) \times 24 = 597{,}6$ m. Ce qui représente 8 872 m^3.

Dès le début, c'est-à-dire avant même la pose de la première assise, nous avions délimité à l'intérieur de notre enceinte de gabions plusieurs compartiments, les uns pour permettre la construction de la pyramide elle-même (A, B, C, D, *figure* 42), d'autres pour le stockage des pierres (E et F), l'un (P) par lequel s'achevait la pose de l'assise, étant réservé à la manœuvre des barques. Cette disposition devait se retrouver d'assise en assise.

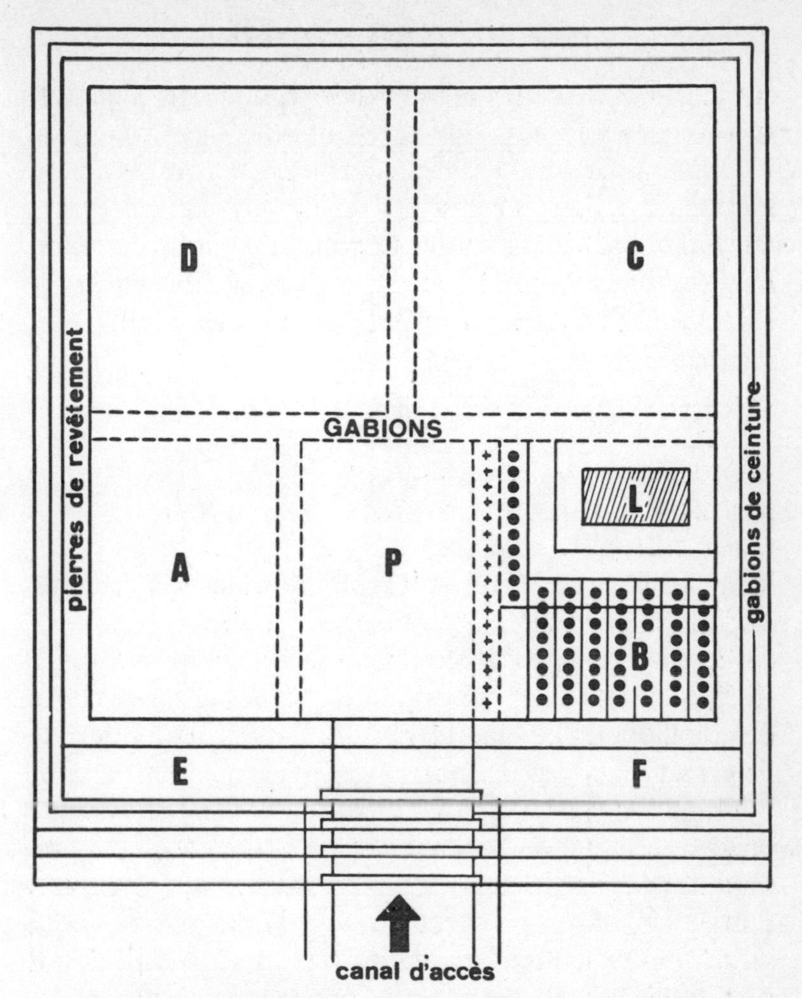

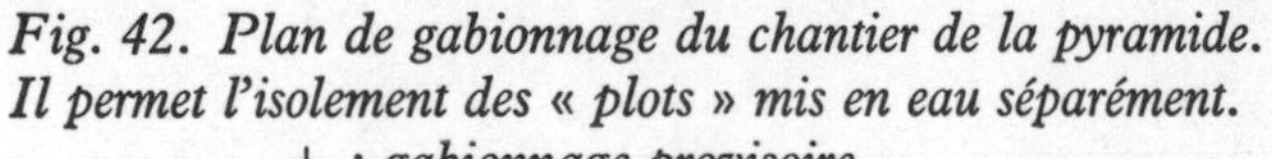
Fig. 42. Plan de gabionnage du chantier de la pyramide.
Il permet l'isolement des « plots » mis en eau séparément.
+ : gabionnage provisoire
● : pierres mises en place définitivement.

S'il y avait eu à prévoir des galeries et puits souterrains, nous aurions isolé un compartiment (L) qui aurait ultérieurement été vidé de son eau pour permettre les travaux de finition à l'intérieur.

La taille des pierres de parement devait quant à elle être réalisée au fur et à mesure que s'élevait le monument, du moins sur les trois faces découvertes après la dépose des gabions. Sur la quatrième face à laquelle s'appuient à la fois la rampe d'écluse et le compartiment de stockage, le parement pouvait au contraire être exécuté à l'achèvement des travaux, en partant du haut vers le bas, en même temps que la finition et le nettoyage général (ce qui permettrait l'évacuation des déchets par bateau).

Histoires d'eau

Tandis que des équipes travaillent à élever à l'aide de gabions la construction provisoire, qui viendra entourer le site supérieur, et créent autour de l'écluse une sorte de pré-canal qui permettra aux barques d'apporter les lourds monolithes, d'autres ont entamé la réalisation de l'ouvrage de réception portuaire, par lequel les barques et leur chargement seront introduites dans le système d'écluse. En même temps, on réalise, à l'aide de briques cette fois, le petit canal qui amènera l'eau, suivant un débit de 333 litres par seconde, jusqu'au bassin A — qui doit approvisionner le premier sas, et au bassin B qui doit fournir l'eau de puisage par le moyen des petits ruisseaux prévus sur les côtés de notre écluse (*fig.* 33, p. 125 et 45, p. 151). Ce petit chenal de 2 mètres carrés de section dont la déclivité du Nil nous oblige à placer le départ à 12 kilomètres en amont, doit en effet être entrepris dès l'ouverture du chantier, le besoin d'eau se faisant sentir dès le début des travaux.

Chaque éclusée représentera en effet une déperdition de 35,50 × 17,70 × 0,88 (0,88 représentant le quart de la hauteur) = 553 m^3. Etant donné que notre programme prévoit le transit de nos 270 barques en 5 éclusées, nous sommes en mesure de chiffrer la déperdition quotidienne à $553 \times 5 = 2\,765$ m^3.

Pour l'approvisionnement en eau, nous disposons, on le sait maintenant de deux « sources ».

La première est le bassin A dont le niveau — 4,16 m au-dessus du Nil, comme le premier sas qu'il alimente directement — est suffisant pour assurer dans un premier temps le passage des barques jusqu'au quatrième sas (revoir *fig.* 33, p. 125). Capable de fournir une quantité d'eau égale à $33{,}50 \times 17{,}70 \times 2{,}64$ (dans un système conventionnel la quantité d'eau est calculée sur la base des trois quarts de la hauteur, 2,64 m), soit 1 659 m^3, chiffre qu'il convient de multiplier lui aussi par le nombre d'éclusées, ce qui donne $1\,659 \times 5 = 8\,295$ m^3 .

Notre petit canal d'amenée a été conçu pour les lui fournir. Sa section de 2 mètres carrés lui permet en effet d'amener pendant les dix heures que représente l'activité diurne des écluses $8\,295 : 10 = 829{,}5$ m^3, ce qui correspond à 230 litres par seconde. Or sa section de 2 m^2 a été étudiée pour lui permettre d'assurer un débit largement supérieur à celui-là : 333 litres par seconde. Le surplus d'eau pourra donc être utilisé pour maintenir le niveau voulu dans le réservoir B qui alimente les petits ruisseaux.

La seconde source est constituée par les bassins E et F que nous avons aménagés de part et d'autre du 25e sas sur toute la longueur d'un côté de la pyramide. Lorsque ces deux bassins seront achevés, leur niveau supérieur correspondra à la 7e assise du monument, soit 7 mètres au-dessus du niveau du plateau et 47 mètres au-dessus du niveau du Nil. Ils représenteront donc une réserve d'eau de $(230 - 17{,}70) \times 35{,}5 \times 7 = 52\,750$ m^3 (*fig.* 43,

p. 155, et 44, p. 156 ci-contre). Si nous utilisions ces deux bassins pour faire fonctionner notre écluse multiple, nous pourrions, compte tenu de la déperdition quotidienne totale de 2 765 mètres cubes, tenir pendant 52 750 : 2 765 = 19 jours.

Il nous a paru infiniment plus rationnel de compenser au fur et à mesure la déperdition quotidienne et pour cela, monter à l'aide de seaux jusqu'au niveau du 26e sas la bagatelle de 2 765 m^3.

En imposant le rendement moyen de 3,6 m^3 à l'heure c'est-à-dire 36 mètres cubes en 10 heures, cela nous amenait à prévoir une équipe de puisage constituée de 39 hommes par palier de levage, et une équipe de nuit de même importance par palier de levage.

Procéder en élevant l'eau d'un sas au sas supérieur se révélait en pratique impossible (38). C'est cette impossibilité qui m'avait amené à découvrir le « truc » : l'astuce des petits ruisseaux, conçus comme des sortes de caniveaux sans déversement et réservés uniquement au puisage (revoir à ce sujet la page 127 ainsi que la figure 31, p. 124-125).

En réservant toujours un espace de 1 mètre entre chaque homme, il devenait possible de disposer sur chacune des banquettes de travail T1, T2, T3, etc. prévues à chaque niveau une équipe de 35 manutentionnaires dont chacun puisait l'eau dans le ruisseau situé à ses pieds pour la soulever par seaux de 10 litres et la déverser dans le ruisseau situé immédiatement au-dessus de lui, c'est-à-dire à une hauteur de 1,66 m, sur les massifs M2, M3, M4..., cela jusqu'au niveau des réservoirs E et F ainsi qu'à celui du 25e sas. Les banquettes de travail étant construites sur les flancs de chaque sas, les manutentionnaires pouvaient travailler continûment de jour comme de nuit sans qu'il en résulte

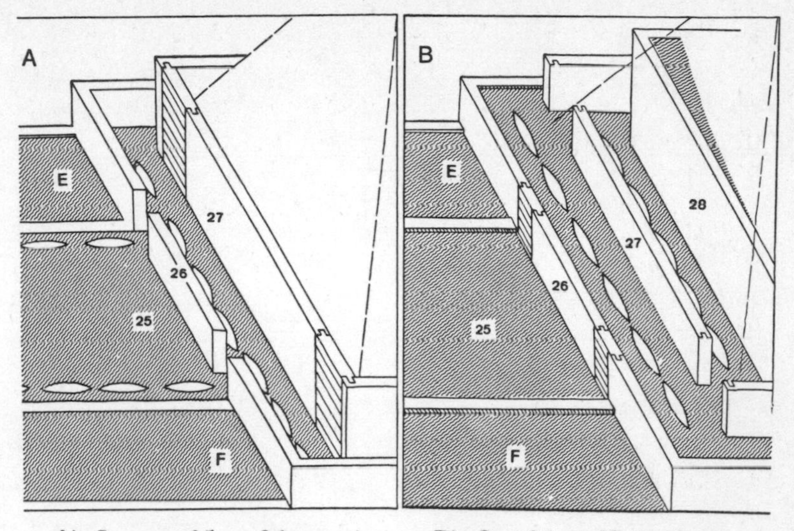

A) *Les sas 25 et 26 sont à niveau. On stocke les barques dans le sas 26.*

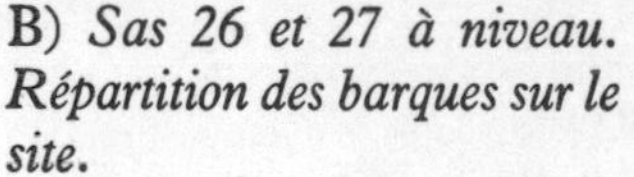

B) *Sas 26 et 27 à niveau. Répartition des barques sur le site.*

Fig. 43. Fonctionnement du sas d'arrivée sur la pyramide

aucune gêne pour les haleurs de barques opérant sur les espaces laissés libres entre les ruisseaux et les bassins.

A partir de là, il ne restait plus qu'à organiser la rotation des équipes en fonction de la main-d'œuvre disponible et des rendements souhaités.

35 hommes élevant en une heure de travail $3{,}6 \times 35 = 126$ m^3 d'eau, et les déperditions des cinq éclusées étant, on l'a vu, de 2 765 mètres cubes, le temps de travail devra être de $2\,765 : 126 = 22$ heures environ. Cela correspond en gros à 3 équipes travaillant huit heures chacune.

Ce rendement, tout de même un peu limité peut aisément être doublé, cela sans même céder à la facilité d'entamer les imposantes réserves contenues dans les bassins E et F : il suffit pour cela de prévoir un second

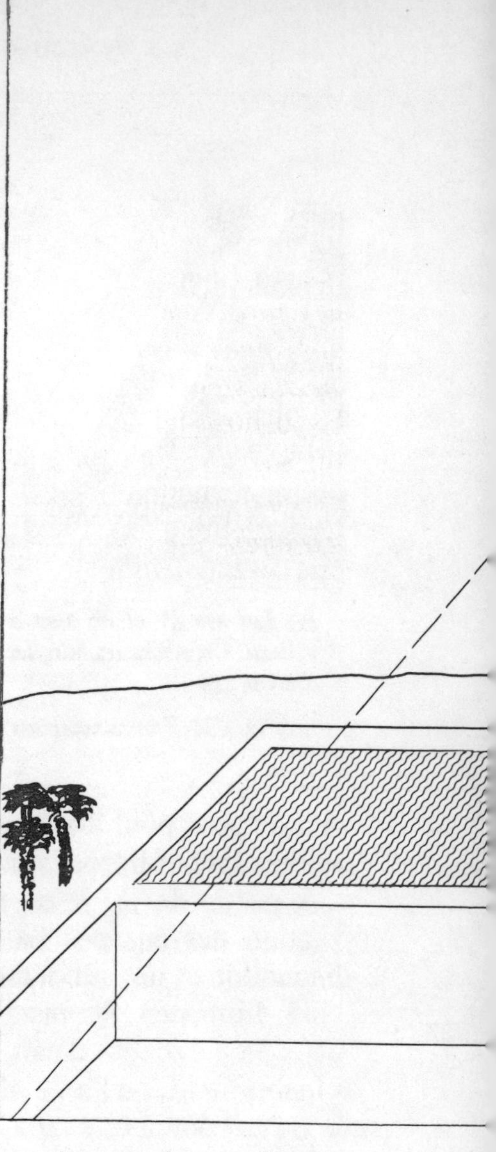

Fig. 44. La montée d'eau vue depuis le site pyramidal. Les sas E et F servent au stockage des barques.

système de ruisseaux symétrique du premier sur l'autre berge du canal. L'alimentation en eau de ce deuxième réseau de puisage se fera toujours à partir du bassin B. Le conduit d'amenée traversera le système d'approvisionnement par un caniveau formant linteau, circulera sur le mur frontal de l'ouvrage portuaire, et franchira le

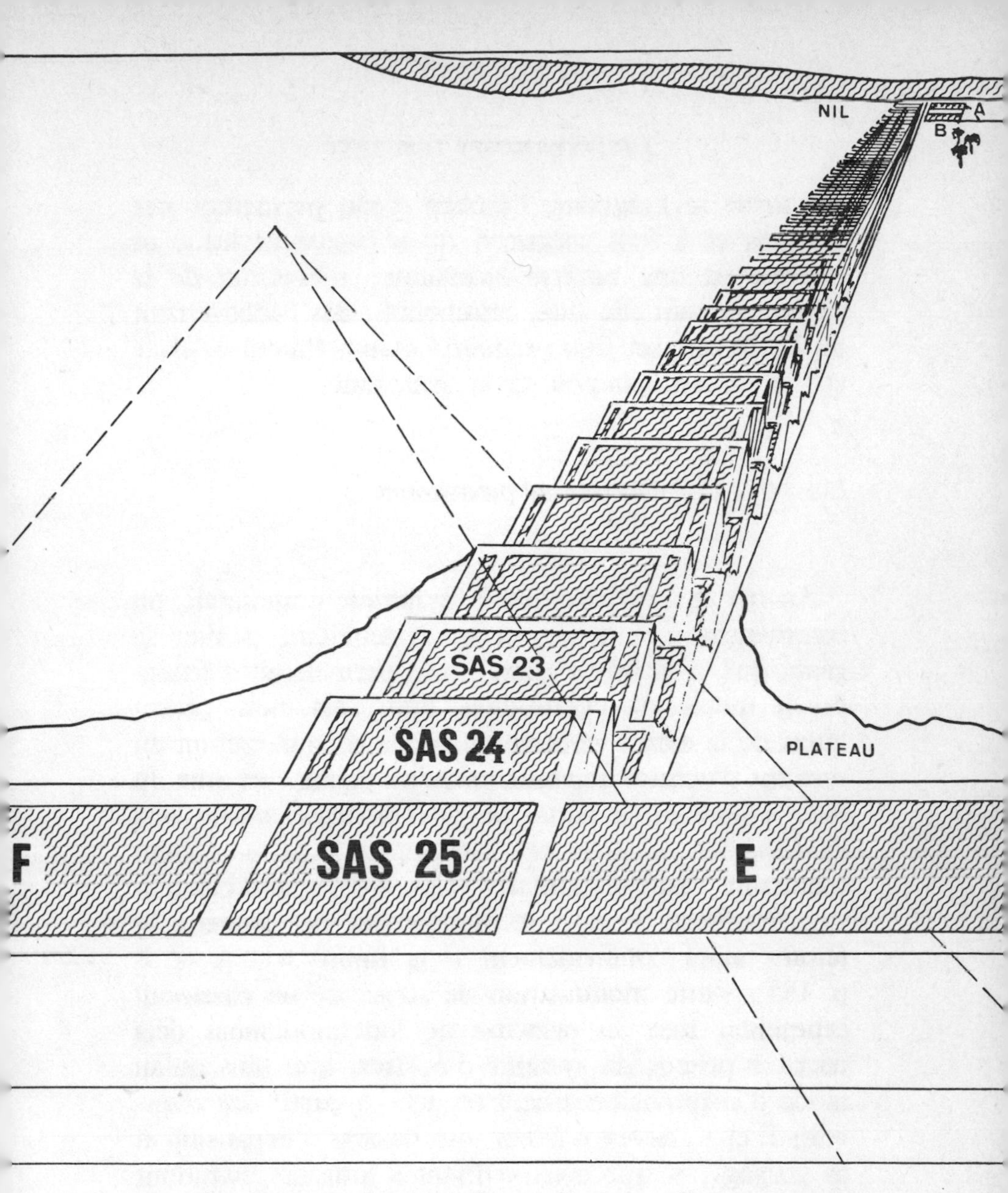

sas d'ouverture du premier pylône, toujours par un caniveau formant linteau (situé à 4,16 m, il n'entravera donc pas le passage des bateaux franchissant les portes d'entrée et de sortie). Ce second système fonctionnera évidemment de la même manière que le premier.

Plusieurs années se sont écoulées. Maintenant réalisée

sur toute sa longueur, l'échelle d'eau permettait aux barques et à leur cargaison de se succéder jusqu'au plateau en une navette incessante. L'érection de la pyramide avait elle aussi commencé : dès l'achèvement du 25e bassin, ses trois premières assises étaient en place et l'on entamait la pose de la quatrième.

Un 1 027 255e bloc appelé pyramidion

Au fur et à mesure que la pyramide grandissait, on commençait à mettre en place un deuxième escalier de géant qui, d'assise en assise, nous permettrait d'atteindre le niveau du pyramidion. Pour cela, nous procédions de la même manière que pour la construction du système d'écluses amenant jusqu'au plateau les eaux du Nil. Toutefois, à partir de la quatrième assise, une modification de structure intervenait. Les sas étaient construits longitudinalement, c'est-à-dire parallèlement aux réservoirs E et F le mouvement des bateaux se faisant alors conformément à la figure 43 (A et B p. 155). Cette modification de structure ne changeait cependant rien au principe de fonctionnement déjà décrit à propos du système d'écluses, non plus qu'au mode d'approvisionnement en eau. A partir des réservoirs E et F, devenus à leur tour bassins d'expansion et de puisage, et que nous veillions à toujours maintenir suffisamment remplis, les levées d'eau — de moins en moins importantes à mesure que la pyramide s'élevait — étaient assurées par le même moyen que dans l'écluse. A ceci près que l'approvisionnement se faisait sur les faces latérales de la pyramide et non plus frontalement. Avec une longueur de 230 mètres — ainsi qu'un retour de 35 mètres sur les flancs de la pyramide, destiné quant à lui au puisage de l'eau — une hauteur de 7 mètres et une largeur de 2 mètres, le mur de retenue n° 26 ne peut plus contenir que 230 : 4,40 = 52 embarcations par éclusée. Les 4,40 m représentent la longueur de chacunes d'elles ainsi qu'un débattement de sécurité, l'étroitesse de la retenue ne laissant le passage qu'à une file unique.

Un simple calcul permettait de vérifier que ce nombre de passages était compatible avec les cadences que je m'étais imposées. La première année nous avait permis de poser 97 834 éléments (voir l'*annexe* 2, p. 182, le programme de pose). Pour la seconde année, mon planning prévoyait d'en mettre en place 92 942, soit, par jour, 92 942 : 365 = 255 blocs.

Or, 5 éclusées de 52 barques nous permettaient d'en acheminer 260.

J'ai dit que mon planning avait prévu que je puisse disposer dès le début des travaux de 244 500 monolithes. Dans les carrières, les tailleurs de pierres avaient fait diligence pour que mes exigences soient satisfaites. Au rythme de production annuel de 54 750 blocs, la période préparatoire de quatre ans et demi que je leur avais octroyée leur avait permis de constituer la réserve démandée. Mais ils n'avaient pas pour autant déposé leurs coins et leurs burins. Pendant quatorze années encore (voir l'*annexe* 3, p. 183), ils continueraient à marteler, à faire éclater et à tailler jusqu'à ce que nous puissions disposer de tous les blocs nécessaires à la réalisation de notre ouvrage. Le problème du stockage de tous ces blocs m'avait longtemps préoccupé. Dès l'achèvement du 25e bassin, je l'ai dit, les trois premières assises de ma pyramide étaient installées. Elles représentaient respectivement 21 025, 20 736, 20 449, soit 62 210 monolithes pour lesquels le problème du stockage ne se posait plus. Restaient les autres. Un empilement désordonné de ces monolithes n'était pas envisageable et ce n'est certainement pas le calife al-Ma'moum qui me démentirait ! (voir première partie p. 31).

En revanche, j'avais remarqué qu'en période de basses eaux, les berges du Nil, sableuses et peu profondes, permettaient de faire subir aux barques chargées un... échouage contrôlé. Cela me donna l'idée d'un vaste « parking » pour mes monolithes qu'il suffisait d'abandonner dans ces eaux peu profondes avec leurs liens d'amarrage, pour venir les reprendre en temps opportun. Plus de 220 000 blocs trouvèrent ainsi

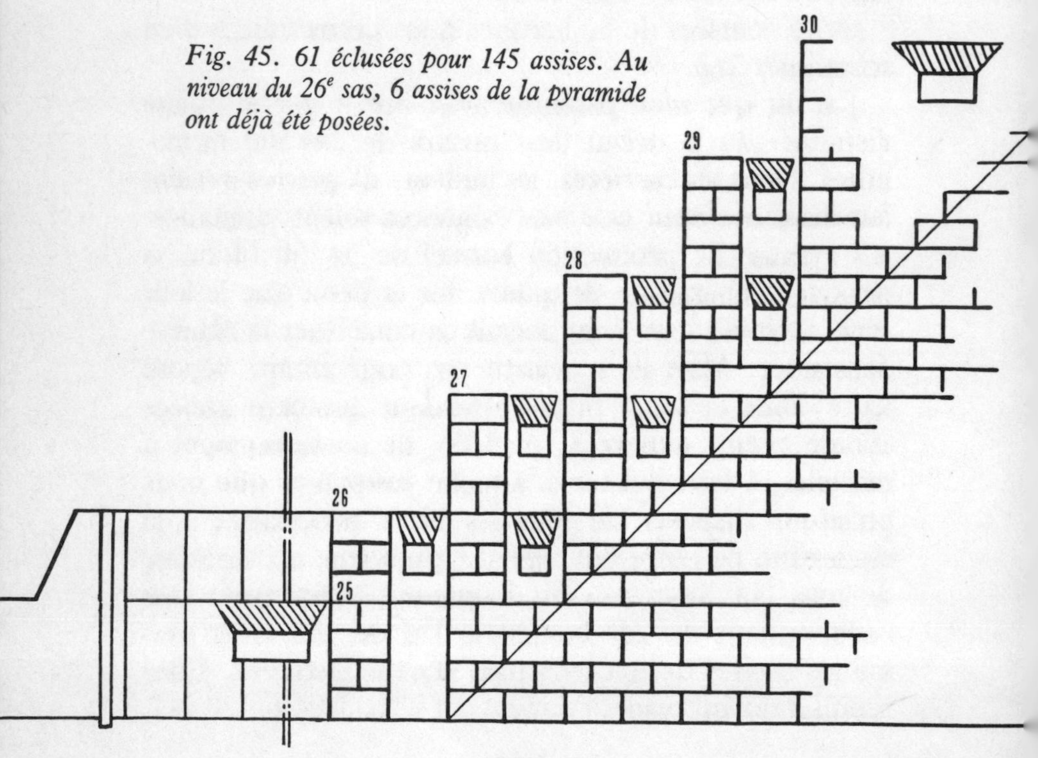

Fig. 45. 61 éclusées pour 145 assises. Au niveau du 26e sas, 6 assises de la pyramide ont déjà été posées.

une aire de stockage de 2 kilomètres de long sur 300 mètres de large (ou plusieurs aires de moindre dimension, ce qui revient au même) à proximité du site. Je note au passage que cette manœuvre d'échouagc nc doit en aucun cas être considérée comme une rupture de charge puisqu'elle n'implique ni déchargement ni rechargement (39).

Sur le plateau, les travaux se poursuivaient sans relâche. Petit à petit, la pyramide s'élevait : le 26e pylône permettait de mettre en place la 6e assise, le 27e menait à la 10e, le 28e à la 14e, le 29e à la 18e, le 30e à la 22e, le 31e à la 26e, le 32e à la 30e (*fig.* 44). Cette 32e éclusée — la huitième que nous construisions depuis que nous opérions sur le plateau — prenait valeur de repère : avec elle se trouvaient maintenant en place la moitié des pierres nécessaires à l'édification du monument. Les pentes de la pyramide se refermant, les sas se rétrécissant, les besoins en pierres et en eau diminuaient d'autant. Il suffisait alors de continuer sur notre lancée jusqu'au pyramidion qu'une dernière éclusée — la 61e depuis le Nil — nous permit enfin de mettre en place.

Conclusion

Le secret des bâtisseurs cyclopéens

« Comme les Égyptiens sont nés sous un climat bien différent des autres climats et que le Nil est d'une nature bien différente du reste des fleuves (40), aussi leurs usages et leurs lois sont-ils, pour la plupart, l'inverse de ceux des autres nations. Chez eux, les femmes vont au marché et s'occupent du commerce de détail, tandis que les hommes, renfermés dans leurs maisons, tissent. Les autres nations tissent en poussant la trame en haut, les Égyptiens en la poussant en bas. En Égypte, les hommes portent les fardeaux sur la tête, et les femmes sur les épaules. Les femmes urinent debout, les hommes accroupis ; ils vont à la selle dans leurs maisons ; mais ils mangent dans les rues. Ils apportent pour raison de cette conduite que les choses indécentes, mais nécessaires, doivent se faire en secret, au lieu que celles qui ne sont point indécentes doivent se faire en public. Les femmes ne peuvent être prêtresses d'aucun dieu, d'aucune déesse ; le sacerdoce est réservé aux hommes. Si les enfants mâles ne veulent point nourrir leurs pères et leurs mères, on ne les y force pas ; les filles y sont obligées quand même elles ne le voudraient pas.

Dans les autres pays, les prêtres portent leurs cheveux ; en Égypte, ils les rasent. Chez les autres nations, dès qu'on est en deuil, on se fait raser, et surtout les plus proches parents ; les Égyptiens, au contraire, laissent croître à la mort de leurs proches, leurs cheveux et leurs barbes qu'auparavant ils rasaient. Les autres peuples vivent séparés des bêtes, les Égyptiens restent avec elles. Partout ailleurs, on se nourrit de froment et d'orge ; c'est un déshonneur pour les Égyptiens d'en faire usage. Ils tirent leurs aliments de l'épeautre, que quelques-uns nomment *zea*. Ils pétrissent la farine avec les pieds, mais l'argile avec les mains ; c'est aussi avec les mains qu'ils enlèvent le fumier. Toutes les autres nations, excepté celles qui ont pris leurs usages, laissent les parties de la génération dans leur état naturcl ; cux, au contraire, se font circoncire. Les hommes ont chacun deux vêtements, les femmes n'en ont qu'un. Les autres peuples attachent en dehors les cordages et les anneaux ou crochets des voiles ; les Égyptiens en dedans. Les grecs écrivent leurs lettres et calculent avec des jetons, en portant la main de la gauche vers la droite ; les Égyptiens, en la conduisant de la droite vers la gauche ; et néanmoins ils disent qu'ils écrivent et qu'ils calculent à droite, et les Grecs à gauche. Ils ont deux sortes de lettres, les sacrées et les vulgaires (41). »

S'il est vrai que les Égyptiens faisaient tout à l'envers comme il ressort de cette plaisante description d'Hérodote, ne peut-on supposer qu'au lieu de charger les blocs de pierre SUR les embarcations à la manière des autres peuples, ils les glissaient DESSOUS ? Si Hérodote ne le dit pas, on peut néanmoins être assuré qu'ils l'ont fait. L'Égypte a-t-on dit, est un don du Nil (42). C'est en effet aux crues du fleuve qu'elle doit d'apparaître comme une longue oasis à l'est du désert du Sahara.

Mais le Nil ne se contente pas de recouvrir périodiquement son sol d'une boue limoneuse (43) qui le féconde à la manière d'un engrais — Hapy est figuré les bras chargés de fleurs, de fruits et de poissons —, il fournit également des facilités de transport exceptionnelles que les anciens Égyptiens ont su très tôt mettre à profit. Ainsi que le note Hérodote, le pays est quadrillé de rivières et de canaux, et, dès que le fleuve recouvre les terres inondables, tout le pays n'est plus qu'une vaste mer.

Il n'en fallait pas davantage pour faire des anciens Égyptiens un peuple de navigateurs. Dès la IVe dynastie, ils avaient déjà étendu leur hégémonie sur les villes de la côte méditerranéenne, Byblos notamment. A observer les chemins qui marchent, ils avaient sans doute également acquis les connaissances d'hydraulique qui leur permettaient de stocker, d'élever et de distribuer l'eau, et d'en utiliser la force motrice. Peut-être est-ce à force de voir leurs embarcations se renverser sous des chargements trop lourds que dans le cerveau de l'un d'eux jaillit soudainement l'intuition fulgurante que j'avais eu moi-même le bonheur de retrouver. Elle rendait possible la démesure, elle rendait possible les pyramides. Aussi les barques enfouies auprès des monuments funéraires nous apparaissent-elles comme une sorte de clé que nul jusqu'à présent n'a songé à utiliser. Sans doute ont-elles pu servir de véhicule au moment des funérailles des pharaons morts, sans doute ont-elles pu symboliquement leur être offertes comme moyen d'accomplir leur périple d'outre-tombe, mais elles nous paraissent surtout devoir être interprétées comme la manifestation d'un culte rendu à la puissance tranquille de l'eau. Là, là uniquement, gît le secret des bâtisseurs cyclopéens.

Notes

PREMIÈRE PARTIE

Chapitre 1

(1) Kurt Mendelssohn (*L'Énigme des Pyramides,* Paris, 1974) rappelle à ce sujet qu'on ne se contenta probablement pas de déposer dans les tombes des jarres pleines de vin et des onguents. Des femmes jeunes et des serviteurs accompagnèrent souvent le pharaon défunt dans la mort, selon une coutume vraisemblablement abolie en Égypte dès les premiers temps dynastiques mais qui a survécu en Afrique jusqu'à nos jours.

(2) Pour rapporter de Syrie le bois de cèdre nécessaire à la construction de ses temples et de ses palais, Snéfrou fit équiper une flotte de navires de guerre et de cargos. On prendra la mesure de la dimension et du luxe de ces édifices lorsqu'on saura que le chargement de quarante de ces navires permit seulement d'en fabriquer les portes.

(3) Pyramide dont le double profil (54° puis 43°) peut s'expliquer selon Jean Yoyotte « Égypte ancienne » in *Histoire de l'Art,* Paris, 1961) soit par la symbolique dualiste de la monarchie égyptienne, soit par la nécessité où l'on se serait trouvé d'achever hâtivement l'édifice, soit par le rajustement purement technique d'un profil trop aigu qui provoquait une dangereuse surcharge des aménagements internes.

(4) Le pyramidion, aujourd'hui disparu était peut-être en granit. Le revêtement de la pyramide était réalisé à l'aide du calcaire blanc de Tourâh rendu aussi lisse que du marbre. A l'exception de quelques blocs à la base du monument, ce revêtement a été totalement arraché. Il ne semble pas qu'il y ait lieu de faire grand

cas des affirmations de certains historiens byzantins et notamment de celles de Philon selon qui le revêtement de la Grande Pyramide était polychrome : aucune pierre de couleur n'a en effet jamais été retrouvée aux abords du monument.

(5) Selon certains auteurs, un notable avait fait édifier son propre mastaba sur l'emplacement choisi pour la Grande Pyramide. Khéops n'hésita pas à s'en emparer en sorte que la maçonnerie de son monument engloberait un ouvrage initial.

(6) Personne n'a refait ce calcul, mais le mathématicien Monge, présent à ses côtés, n'a pas démenti.

(7) Dans sa *Géographie*, rédigée au début de l'ère chrétienne, Strabon mentionne que la Grande Pyramide « possède sur une de ses faces, une pierre qui peut être retirée et qui, une fois soulevée, donne accès à une galerie en pente jusqu'aux fondations ». Selon I. E. S. Edwards (*Les Pyramides d'Égypte*, Paris, 1981), il est difficile de croire que la porte décrite par Strabon datait de l'époque de la construction de la pyramide. L'éminent égyptologue britannique remarque à juste titre que ni les bouchons ni les herses n'eussent été utilisés pour bloquer les galeries si une possibilité d'accès aux chambres intérieures avait été prévue après les funérailles. Or une porte battante présupposait cette possibilité. I. E. S. Edwards suppose que l'entrée de la Grande Pyramide, de même que celle de la pyramide rhomboïdale, était à l'origine recouverte par un lit de pierres de parement qui la rendait absolument indiscernable du reste de la surface extérieure. Lorsque le monument fut violé pour la première fois — sans doute durant la période d'anarchie qui suivit la fin de l'Ancien Empire — les voleurs durent se frayer un passage en ôtant les blocs recouvrant l'entrée. On ne sait, ajoute I. E. S. Edwards, combien de temps elle resta béante, mais elle fut peut-être refermée et rouverte en plus d'une occasion durant les dynasties suivantes jusqu'à ce qu'un jour — sous les Saïtes ? — une porte correspondant à la description de Strabon fût placée. Si cette hypothèse, très sujette à caution, est exacte, il faut aussi supposer, soit que l'existence de la porte fut oubliée, soit que l'entrée fut de nouveau masquée par des pierres de parement à un moment quelconque entre la visite de Strabon et le IXe siècle. Aucune autre hypothèse, conclut I. E. S. Edwards ne saurait expliquer que le calife al-Ma'moum n'ait pu trouver l'entrée qu'après avoir creusé un nouveau cheminement dans le noyau de la Pyramide.

(8) C'est un bloc de granit enchâssé dans la maçonnerie calcaire qui attira l'attention des pilleurs sur l'existence de cette galerie.

(9) A cet égard, la pyramide de Khéops n'est pas une exception. Ce n'est qu'à partir du règne d'Ounas puis durant la VIe dynastie

que les locaux intérieurs des pyramides s'ornèrent d'innombrables hiéroglyphes dont certains contenaient des formules funéraires (Textes des Pyramides).

(10) Découverte en 1953-54 dans une fosse recouverte de dalles énormes, la barque de Khéops a été reconstituée au pied de la pyramide : mesurant 40 mètres de long elle avait été démontée mais tous les éléments étaient dans un état de parfaite conservation. Ainsi a-t-on pu étudier dans ses moindres détails la plus ancienne construction navale vieille de cinq mille ans.

Chapitre 2

(11) Dix millionième partie du rayon polaire de la Terre, la « coudée sacrée » (635,6 mm) a justifié nombre de truquages. Elle présente cependant l'inconvénient majeur de n'avoir jamais existé. Seule la coudée royale (524 mm) est reconnue comme unité de mesure par les égyptologues sérieux.

(12) Un Anglais a proposé d'appliquer le système de Charles Piazzi-Smith au Crystal Palace de Londres, ne doutant, pas avec un peu de patience, d'y découvrir la mesure de la distance Londres-Tombouctou ou l'indication du poids moyen d'un poisson rouge adulte !

(13) L'abbé Moreux, directeur de l'observatoire de Bourges, obtint la valeur de π en divisant le périmètre de la base de la pyramide (soit, croyait-il $232{,}805 \times 4 = 931{,}22$) par deux fois la hauteur de la pyramide (soit, croyait-il encore $148{,}208 \times 2 = 296{,}416$). On sait que ni le périmètre de la base ni la hauteur de la pyramide ne correspondent à ces chiffres.

(14) Le culte du « rationnel » a pu, à certains égards masquer aux yeux des chercheurs modernes certaines évidences d'ordre spirituel et à faire perdre le sens de la vertu magique des nombres.

(15) L'utilisation de la brique cuite n'est attestée qu'à partir de la XXVIe dynastie.

(16) Plusieurs témoignages dignes de foi, dont celui d'Hérodote, donnent à penser que le respect de leur vie était parfois poussé très loin. Cf. note 23.

(17) « Le 10 du mois, l'équipe a dépassé la cinquième muraille de la nécropole en disant : nous avons faim... Les ouvriers s'enferment alors dans le temple de Thoutmosis III. Le scribe de la nécropole, les deux chefs d'équipe et les deux contrôleurs s'unirent à eux... Le 11, ils quittèrent la nécropole et occupèrent le Ramesseum où ils dormirent pêle-mêle... Le chef de la police partit pour Thèbes chercher le préfet... C'est poussés par la faim et la soif

que nous sommes venus, il n'y a plus de vêtements, plus d'huile, plus de poisson, plus de légumes. Écrivez à ce sujet au pharaon notre maître et au vizir notre chef pour qu'ils nous donnent des vivres... »

(18) Papyrus Anastasi n° 1 (Nouvel Empire). C'est là une précision qui sera présente à notre esprit lorsqu'il s'agira de définir notre propre système (*cf.* Références p. 197).

(19) Le bronze n'apparaît qu'à partir du début du deuxième millénaire (XIIe dynastie), et le fer à l'époque saïte (VIIe siècle av. J.-C.).

(20) Toute la lumière n'est pas encore faite sur ce sujet. Nous nous réservons d'y revenir dans un prochain ouvrage.

(21) Ce qui représente environ 1 mètre. On se souviendra de cette précision lorsqu'il sera question, un peu plus loin, des « courtes pièces de bois » d'Hérodote.

(22) Un talent équivaut à 25,9 de nos kilogrammes.

(23) Hérodote fournit les dimensions de ce monolithe : « il a en dehors 21 coudées de long (soit 11,06 m), 14 de large (soit 7,38 m) et huit de haut (soit 4,22 m) ». Son volume est donc de 344,5 m^3. C'est le volume d'une grande partie des blocs incorporés au sein de la Grande Pyramide. Toujours à propos de ce monolithe, Hérodote ajoute qu'on ne le fit pas entrer dans le temple parce que l'architecte fatigué et ennuyé d'un travail qui lui avait coûté tant de temps, poussa un profond soupir. Amasis regardant cela comme un présage fâcheux ne voulut pas qu'on le fît avancer plus loin. Quelques-uns dirent aussi qu'un de ceux qui aidaient à le déplacer avec des leviers fut écrasé dessous et que c'est pour cette raison qu'on ne l'introduisit pas dans le lieu sacré.

DEUXIÈME PARTIE

Chapitre 1

(24) « Il y a sur cette pyramide, note encore Hérodote, des caractères égyptiens qui indiquent combien on a dépensé en raiforts, en oignons et en têtes d'ail pour les ouvriers et, si je me souviens bien des propos de l'interprète qui lisait cette inscription, la somme s'élevait à 6000 talents d'argent, ce qui équivaut à 41 884 kilogrammes. S'il en est vraiment ainsi, combien de talents d'argent ont-ils pu être dépensés pour le fer avec lequel ils travaillaient, pour la nourriture et le vêtement des ouvriers ? »

(25) Hérodote évoque sans nul doute ici le parement de calcaire blanc du monument.

(26) Rappelons que les six autres étaient le mausolée d'Halicarnasse, le phare d'Alexandrie, le colosse de Rhodes, le temple de Diane à Ephèse, la statue chryséléphantine de Jupiter à Olympie et les jardins suspendus de Babylone.

(27) Tout comme Hérodote, Diodore estime à 6000 talents la somme dépensée en raiforts, oignons et têtes d'ail pour les ouvriers qui travaillèrent à l'édification de la Grande Pyramide.

(28) Dans le cas d'un traîneau de bois glissant sur une chaussée argileuse, on a pu démontrer que l'effort à fournir se limitait au sixième de la charge. En l'absence de lubrification, sur sol ferme — sable et boue étant exclus — les résistances dues au frottement obligent en revanche l'ouvrier à exercer un effort égal aux deux tiers de la charge à tirer.

(29) On imagine mal un pareil convoi approchant le fleuve et chargeant les embarcations. Ce sujet sera traité dans un prochain ouvrage.

Chapitre 2

(30) Même si les Égyptiens avaient connu le procédé de ce que l'on appelle aujourd'hui la « terre armée », les poussées auraient été trop importantes pour pouvoir être contenues.

QUATRIÈME PARTIE

Chapitre 1

(31) Le volume de la pyramide est égal à la surface de base multiplié par le tiers de la hauteur, soit ici $(232 \times 232 \times 145):3$.

(32) Voir en appendice le tableau des principales unités égyptiennes.

(33) Tel qu'il est, mon système d'écluse aurait permis le transport de mastodontes de 78 tonnes.

Chapitre 2

(35) La création d'un horizon artificiel pour l'orientation du monument n'est pas, comme on l'a dit, indispensable. Les bâtisseurs de Stonehenge I, contemporains des constructeurs de pyramides, disposaient d'une méthode basée sur les équinoxes et les solstices ainsi que le prouvent les traces, encore visibles, qu'ils ont laissées, sur le sol.

(36) Il sera toutefois fait mention de la façon dont ces cavités ont pu être exécutées.

(37) Terme utilisé par les charpentiers pour définir une toiture.

(38) Procéder en élevant l'eau directement d'un sas au sas supérieur aurait été pratiquement impossible. Si l'on prévoit un mètre de distance entre chaque homme afin de ne pas gêner leurs mouvements, on ne peut guère disposer que 17 hommes sur le front de chaque sas. Dans ces conditions le temps de remplissage d'un sas aurait représenté 17 heures par sas.

Le volume à compenser étant de $35{,}5 \times 17{,}7 \times 1{,}66$ et à raison de $3{,}6\ m^3/h$, 17 hommes auraient pu élever $3{,}6 \times 17 = 61{,}20\ m^3$.

$(35{,}5 \times 17{,}7 \times 1{,}66) : (3{,}6 \times 17) = 17$ heures.

Cumulé sur 24 niveaux, ce temps de travail conduit à une impossibilité.

Au stade de l'établissement du planning, c'est cette impossibilité qui m'avait mis sur la voie de la découverte de l' « astuce » des petits ruisseaux latéraux.

(39) Terme de transport qui signifie qu'on parcourt un trajet sans avoir à transférer les marchandises transportées.

Conclusion

(40) En ce sens que la crue du Nil a lieu en été et non en hiver.

(41) Les hiéroglyphes et les caractères démotiques.

(42) La formule est due également à Hérodote.

(43) On remarquera que cette boue limoneuse favorise le glissement des traîneaux qui ont pu effectivement être utilisés, non pas pour le transport des colosses sur de grandes distances mais pour le déplacement local de masses de dimensions et de poids modestes.

Annexes

Annexe 1

Quantité de pierres nécessaires à la construction de la pyramide, données assise par assise

ASSISES	NOMBRE PAR ASSISE	QUANTITÉS	CUMUL
1	145 × 145	21 025	21 025
2	144 × 144	20 736	41 761
3	143 × 143	20 449	62 210
4	142 × 142	20 614	82 824
5	141 × 141	19 881	102 705
6	140 × 140	19 600	122 305
7	139 × 139	19 321	141 626
8	138 × 138	19 044	160 670
9	137 × 137	18 769	179 439
10	136 × 136	18 496	197 935
11	135 × 135	18 225	216 160
12	134 × 134	17 956	234 116
13	133 × 133	17 689	251 805
14	132 × 132	17 424	269 229
15	131 × 131	17 161	286 390
16	130 × 130	16 900	303 290
17	129 × 129	16 641	319 931
18	128 × 128	16 384	336 315
19	127 × 127	16 129	352 444
20	126 × 126	15 876	368 320

ASSISES	NOMBRE PAR ASSISE	QUANTITÉS	CUMUL
21	125 × 125	15 625	383 945
22	124 × 124	15 376	399 321
23	123 × 123	15 129	414 450
24	122 × 122	14 884	429 334
25	121 × 121	14 641	443 975
26	120 × 120	14 400	458 375
27	119 × 119	14 161	472 536
28	118 × 118	13 924	486 460
29	117 × 117	13 689	500 149
30	116 × 116	13 456	513 605
31	115 × 115	13 226	526 830
32	114 × 114	12 996	539 826
33	113 × 113	12 769	552 595
34	112 × 112	12 544	565 139
35	111 × 111	12 321	577 460
36	110 × 110	12 100	589 560
37	109 × 109	11 881	601 441
38	108 × 108	11 664	613 105
39	107 × 107	11 449	624 554
40	106 × 106	11 236	635 790
41	105 × 105	11 025	646 815
42	104 × 104	10 816	657 631
43	103 × 103	10 609	668 240
44	102 × 102	10 404	678 644
45	101 × 101	10 201	688 845
46	100 × 100	10 000	698 845
47	99 × 99	9 801	708 646
48	98 × 98	9 604	718 250
49	97 × 97	9 409	727 659
50	96 × 96	9 216	736 875
51	95 × 95	9 025	745 900
52	94 × 94	8 836	754 736

ASSISES	NOMBRE PAR ASSISE	QUANTITÉS	CUMUL
53	93 × 93	8 649	763 385
54	92 × 92	8 464	771 849
55	91 × 91	8 281	780 130
56	90 × 90	8 100	788 230
57	89 × 89	7 921	796 151
58	88 × 88	7 744	803 895
59	87 × 87	7 569	811 464
60	86 × 86	7 396	818 860
61	85 × 85	7 225	826 085
62	84 × 84	7 056	833 141
63	83 × 83	6 889	840 030
64	82 × 82	6 724	846 754
65	81 × 81	6 561	853 315
66	80 × 80	6 400	859 715
67	79 × 79	6 241	865 956
68	78 × 78	6 084	872 040
69	77 × 77	5 929	877 969
70	76 × 76	5 776	883 745
71	75 × 75	5 625	889 370
72	74 × 74	5 476	894 846
73	73 × 73	5 329	900 175
74	72 × 72	5 184	905 359
75	71 × 71	5 041	910 400
76	70 × 70	4 900	915 300
77	69 × 69	4 761	920 061
78	68 × 68	4 624	924 685
79	67 × 67	4 489	929 174
80	66 × 66	4 356	933 530
81	65 × 65	4 225	937 755
82	64 × 64	4 096	941 851
83	63 × 63	3 969	945 820
84	62 × 62	3 844	949 664

ASSISES	NOMBRE PAR ASSISE	QUANTITÉS	CUMUL
85	61 × 61	3 721	953 385
86	60 × 60	3 600	956 985
87	59 × 59	3 481	960 466
88	58 × 58	3 364	963 830
89	57 × 57	3 249	967 079
90	56 × 56	3 136	970 215
91	55 × 55	3 025	973 240
92	54 × 54	2 916	976 156
93	53 × 53	2 809	978 965
94	52 × 52	2 704	981 669
95	51 × 51	2 601	984 270
96	50 × 50	2 500	986 770
97	49 × 49	2 401	989 171
98	48 × 48	2 304	991 475
99	47 × 47	2 209	993 684
100	46 × 46	2 116	995 800
101	45 × 45	2 025	997 825
102	44 × 44	1 936	999 761
103	43 × 43	1 849	1 001 610
104	42 × 42	1 764	1 003 374
105	41 × 41	1 681	1 005 055
106	40 × 40	1 600	1 006 655
107	39 × 39	1 521	1 008 176
108	38 × 38	1 444	1 009 620
109	37 × 37	1 369	1 010 989
110	36 × 36	1 296	1 012 285
111	35 × 35	1 225	1 013 510
112	34 × 34	1 156	1 014 666
113	33 × 33	1 089	1 015 755
114	32 × 32	1 024	1 016 779
115	31 × 31	961	1 017 740
116	30 × 30	900	1 018 640

ASSISES	NOMBRE PAR ASSISE	QUANTITÉS	CUMUL
117	29 × 29	841	1 019 481
118	28 × 28	784	1 020 265
119	27 × 27	729	1 020 994
120	26 × 26	676	1 021 670
121	25 × 25	625	1 022 295
122	24 × 24	576	1 022 871
123	23 × 23	589	1 023 460
124	22 × 22	484	1 023 944
125	21 × 21	441	1 024 385
126	20 × 20	400	1 024 785
127	19 × 19	361	1 025 146
128	18 × 18	324	1 025 470
129	17 × 17	289	1 025 759
130	16 × 16	256	1 026 015
131	15 × 15	225	1 026 240
132	14 × 14	196	1 026 436
133	13 × 13	169	1 026 605
134	12 × 12	144	1 026 749
135	11 × 11	121	1 026 870
136	10 × 10	100	1 026 970
137	9 × 9	81	1 027 051
138	8 × 8	64	1 027 115
139	7 × 7	49	1 027 164
140	6 × 6	36	1 027 200
141	5 × 5	25	1 027 225
142	4 × 4	16	1 027 241
143	3 × 3	9	1 027 250
144	2 × 2	4	1 027 254
145	1 × 1	1	1 027 255

ANNEXE 2

Programme annuel de pose des monolithes

Le nombre de blocs posés par annuité est inversement proportionnel à l'élévation de la pyramide.

ANNÉES	NOMBRE DE BLOCS POSÉS PAR ANNÉE	CUMUL DES BLOCS POSÉS	BLOCS RESTANT À POSER
1re	97 834		
2e	92 942	190 776	836 484
3e	88 051	278 827	748 433
4e	83 159	361 986	665 274
5e	78 268	440 254	587 006
6e	73 376	513 630	513 630
7e	68 484	582 114	445 146
8e	63 592	645 706	381 554
9e	58 701	704 407	322 853
10e	53 809	758 216	269 044
11e	48 917	807 133	220 127
12e	44 025	851 158	176 102
13e	39 134	890 292	136 968
14e	34 242	924 534	102 726
15e	29 350	953 884	73 376
16e	24 459	978 343	48 917
17e	19 567	997 910	29 350
18e	14 675	1 012 585	14 675
19e	9 783	1 022 368	4 892
20e	4 892	1 027 260	

Annexe 3

Prévisions de pose et de fabrication

STOCK	FABRICATION ANNUELLE	POSE	RESTE
4 ans ½ (préparation)	54 750		244 500
1re année 244 500	54 750	97 834	201 416
2e — 201 416	54 750	92 942	182 224
3e — 182 224	54 750	88 051	146 923
4e — 146 923	54 750	83 159	120 514
5e — 120 514	54 750	78 268	96 996
6e — 96 996	54 750	73 376	78 370
7e — 78 370	54 750	68 484	64 636
8e — 64 636	54 750	63 592	55 794
9e — 55 794	54 750	58 701	51 843
10e — 51 843	54 750	53 809	52 784
11e — 52 784	54 750	48 917	58 617
12e — 58 617	54 750	44 025	69 342
13e — 69 342	54 750	39 134	84 958
14e — 84 958	52 010	34 242	102 726
15e — 102 726	0	29 350	73 376
16e — 73 376	—	24 459	48 917
17e — 48 917	—	19 567	29 350
18e — 29 350	—	14 675	14 675
19e — 14 675	—	9 783	4 892
20e — 4 892	—	4 892	—

ANNEXE 4. — *Gabionnage et dimensions du canal*

Dimensions des monolithes en mètres		Volume des monolithes en m^3	Poids en tonnes Densité 2,5	Volume de gabions nécessaires pour le déplacement des monolithes				M	Volume du canal en m^3 par ml d'avancement $A \times B = C$
Larg.	Haut.			Berge I		Berge II	Total C		
1	1	1,00	2,500	3	+	3	6	3	4 × 1,200 = 4,800
2	1	2,00	5,000	3	+	3	6	3	7 × 1,200 = 8,400
2	1,5	3,00	7,500						7 × 1,700 = 11,900
2	2	4,00	10,000	4	+	4	8	4	7 × 2,200 = 15,400
3	1	3,00	7,500	3	+	3	6	3	10 × 1,200 = 12,000
3	1,5	4,50	11,250						10 × 1,700 = 17,000
3	2	6,00	15,000	4	+	4	8	4	10 × 2,200 = 22,000
4	1	4,00	10,000	3	+	3	6	3	13 × 1,200 = 15,600
4	1,5	6,00	15,000						13 × 1,700 = 22,100
4	2	8,00	20,000	4	+	4	8	4	13 × 2,200 = 28,600
5	1	5,00	12,500	3	+	3	6	3	16 × 1,200 = 19,200
5	1,5	7,50	18,750						16 × 1,700 = 27,200
5	2	10,00	25,000	4	+	4	8	4	16 × 2,200 = 35,200
6	1	6,00	15,000	3	+	3	6	3	19 × 1,200 = 22,800
6	1,5	9,00	22,500						19 × 1,700 = 32,300
6	2	12,00	30,000	4	+	4	8	4	19 × 2,200 = 41,800

M : Temps par monolithe en journées de travail. A : Trois fois la largeur du monolithe + 1,00 (voir tableau transport).
B : Une fois la hauteur + 0,20 m de garde au sol.

ANNEXE 5. — *Quantités d'eau. Temps de remplissage du canal*

Volume du bateau et du bloc transporté en m³ (Poids du bateau non compris)	Volume d'eau nécessaire en m³ pour déplacer le monolithe	Temps de mise en eau par simple reprise de l'eau d'un niveau inférieur à un niveau supérieur pour 1 monolithe (3,6 m³/heure)	
1 + 1,500 = 2,500	4800	4800 s	1 h 20 mm
2 + 3,000 = 5,000	8,400	8400 s	2 h 20 mn
3 + 4,500 = 7,500	11,900	11900 s	3 h 18 mn 20 s
4 + 6,000 = 10,000	15,400	15400 s	4 h 16 mn 40 s
3 + 4,500 = 7,500	12,000	12000 s	3 h 20 mn
4,5 + 6,750 = 11,250	17,000	17000 s	4 h 43 mn 20 s
6 + 9,000 = 15,000	22,000	22000 s	6 h 6 mn 40 s
4 + 6,000 = 10,000	15,600	15600 s	4 h 20 mn
6 + 9,000 = 15,000	22,100	22100 s	6 h 8 mn 20 s
8 + 12,000 = 20,000	28,600	28600 s	7 h 56 mn 40 s
5 + 7,500 = 12,500	19,200	19200 s	5 h 20 mn
7,5 + 11,250 = 18,750	27,200	27200 s	7 h 36 mn 40 s
10 + 15,000 = 25,000	35,200	35200 s	9 h 46 mn 40 s
6 + 9,000 = 15,000	22,800	22800 s	6 h 20 mn
9 + 13,500 = 22,500	32,300	32300 s	8 h 58 mn 20 s
12 + 18,000 = 30,000	41,800	41800 s	11 h 36 mn 40 s

Annexe 6

Largeur de canal nécessaire pour le transport des mégalithes

	Espace	Barque	Espace	Monolithe (largeur)	Espace	Barque	Espace	A
1	0,25	1,00	0,25	1,00	0,25	1,00	0,25	4,00
2	0,25	2,00	0,25	2,00	0,25	2,00	0,25	7,00
3	0,25	3,00	0,25	3,00	0,25	3,00	0,25	10,00
4	0,25	4,00	0,25	4,00	0,25	4,00	0,25	13,00
5	0,25	5,00	0,25	5,00	0,25	5,00	0,25	16,00
6	0,25	6,00	0,25	6,00	0,25	6,00	0,25	19,00

D'où la règle : lorsqu'un monolithe lourd est à déplacer, il suffit de construire un canal égal à *trois fois sa largeur plus un mètre d'espacement* nécessaire à la fixation et au déplacement du monolithe. La profondeur du canal sera égale à *la hauteur du monolithe plus 0,20 m* pour fixation et garde au sol.

ANNEXE 7

Correspondance des volumes et des surfaces portantes

Lorsque les dimensions doublent, les surfaces quadruplent et les volumes sont ×8

Poids	Densité	Volume	Poussée Archimède	Poids du bloc immergé	Dimensions de la barque					Portance hydraulique = poids du bloc
					Long.		Larg.		Enfonc.	
5 t	2,5	2 m³	2 t	3 t	6,00	×	2,00	×	0,25	3 m³
40 t	2,5	16 m³	16 t	24 t	12,00	×	2,00	×	1,00	24 m³
320 t	2,5	108 m³	108 t	192 t	24,00	×	4,00	×	2,00	192 m³
2 560 t	2,5	1 024 m³	1 024 t	1 536 t	48,00	×	8,00	×	4,00	1 536 m³

Ce qui veut dire que pour des blocs de 2,500 tonnes (blocs moyens de la construction de la grande pyramide), la correspondance serait :

Poids	Densité	Volume	Poussée Archimède	Poids du bloc immergé	Donc la barque aura...
2,5 t	2,5	1 m³	1 t	1,500 t	$3,00 \times 1,50 \times 0,333 = 1,500\ m^3$

Ces dimensions d'embarcation sont données pour volume compensateur. Il est évident que ce volume de flottabilité peut être fourni de manière identique par 2, 3, 4 ou une multitude de plus petites embarcations. Le résultat n'en est pas pour autant modifié.

Notons qu'une barque de pêcheur à la ligne suffit pour des monolithes de 2,500 tonnes.

ANNEXE 8. — *Courbe de correspondance*

Poids des mégalithes en kg. Volume du transporteur en dm³
5/3

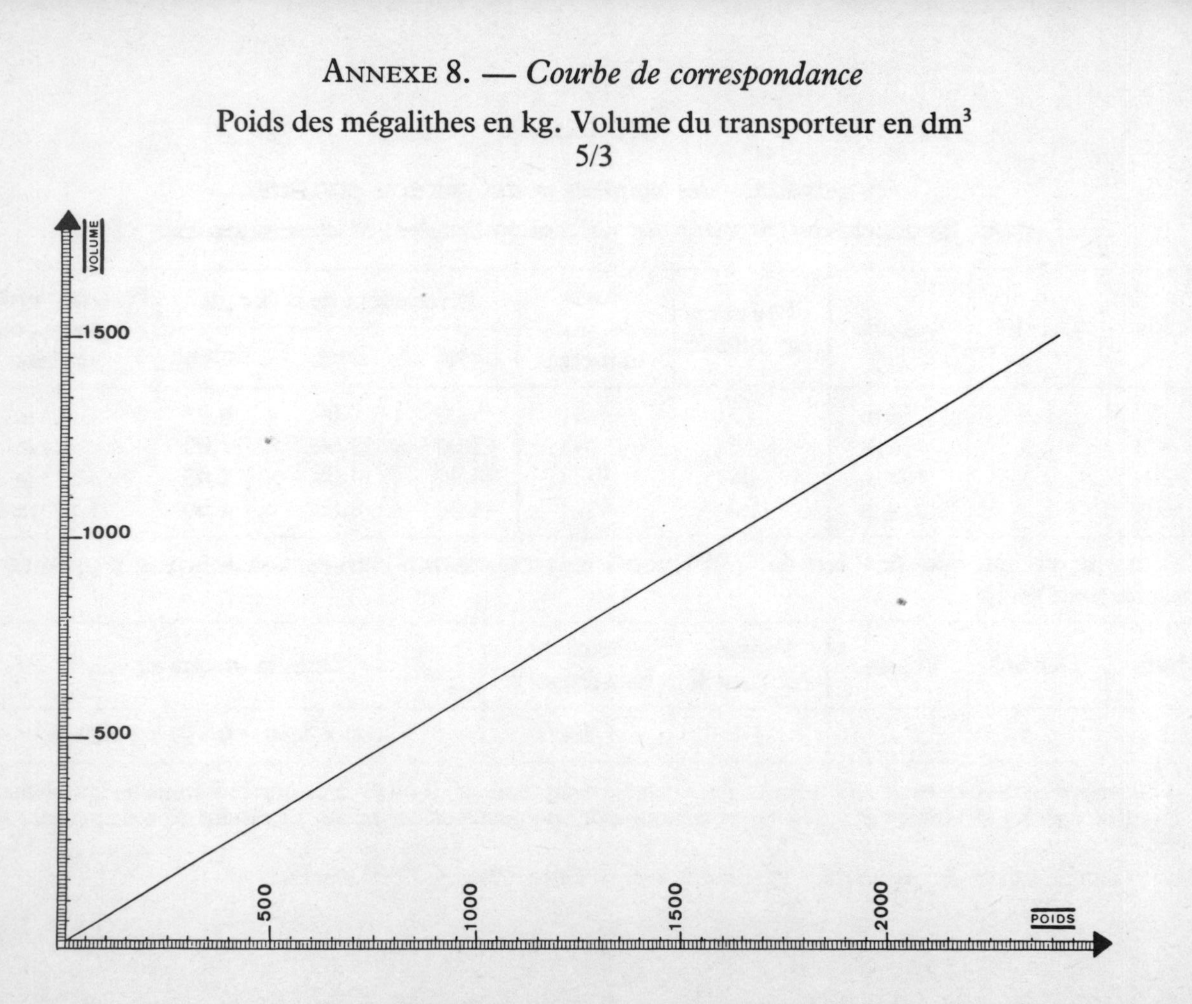

Annexe 9

Quelques poids et mesures utilisés par Hérodote

MESURES DE LONGUEUR

Pied	29,6 cm
Coudée égyptienne	52,7 cm
Orgye (brasse)	1,77 m
Pas	74 cm
Plèthre	29,6 m
Stade	177,6 m
Schène	10 656 m
Parasange (perse)	5 940 m

POIDS

Talent	25,9 kg
Talent babylonien	30,2 kg

CAPACITÉS

Conge	3,2 l
Amphore	19,4 l
Médimme	51,8 l
Artabe (perse)	55,1 l

MONNAIE GRECQUE

Obole
Drachme (6 oboles)
Mine (100 drachmes)
Talent (60 mines)

ANNEXE 10

Charges que peuvent supporter les poutres en chêne

Dimensions des bois	Cube par mètre courant	Charge uniformément répartie sur une portée de :					Constante
		2 m	3 m	4 m	5 m	6 m	
	m^3	kg	kg	kg	kg	kg	
8 × 8	0,006 4	205	136	102	82	68	410
8 × 16	0,012 8	819	546	409	327	273	1 638
10 × 10	0,010	405	266	200	160	133	800
10 × 20	0,020	1 600	1 066	800	640	533	3 200
12 × 12	0,014 4	691	460	346	276	230	1 382
12 × 20	0,024	1 920	1 280	960	768	640	3 840
12 × 25	0,030	3 000	2 000	1 500	1 200	1 000	6 000
15 × 15	0,022 5	1 350	900	675	540	450	2 700
15 × 20	0,030	2 400	1 600	1 200	960	800	4 800
15 × 25	0,037 5	3 750	2 500	1 875	1 500	1 250	7 500
15 × 30	0,045	5 400	3 600	2 700	2 160	1 800	10 800
18 × 18	0,032 4	2 333	1 555	1 166	953	778	4 666
18 × 20	0,036	2 880	1 920	1 440	1 152	960	5 760
18 × 25	0,045	4 500	3 000	2 250	1 800	1 500	9 000
18 × 30	0,054	6 480	4 320	3 240	2 592	2 160	12 960
20 × 20	0,040	3 200	2 133	1 600	1 280	1 067	6 400
20 × 25	0,050	5 000	3 333	2 500	2 000	1 667	10 000
20 × 30	0,060	7 200	4 966	3 600	2 880	2 483	14 400
20 × 35	0,070	9 800	6 533	4 900	3 920	3 267	19 600

Annexe 10

Charges que peuvent supporter les poutres en chêne (suite)

Dimensions des bois	Cube par mètre courant	Charge uniformément répartie sur une portée de :					Constante
		2 m	3 m	4 m	5 m	6 m	
22 × 22	0,018 4	4 250	2 839	2 130	1 703	1 420	8 518
22 × 30	0,066	7 920	5 160	3 960	3 168	2 580	15 840
22 × 35	0,077	10 780	7 186	5 390	4 132	3 593	21 560
25 × 25	0,062 5	6 250	4 167	3 125	2 500	2 083	12 500
25 × 30	0,075	9 000	6 000	4 500	3 600	3 000	18 000
25 × 35	0,087 5	12 250	8 166	6 125	4 900	4 083	24 500
25 × 40	0,100	16 000	10 666	8 000	6 400	5 333	32 000
30 × 30	0,090	10 800	7 200	5 400	4 320	3 600	21 600
30 × 35	0,105	14 700	9 800	7 350	5 880	4 900	29 400
30 × 40	0,120	19 200	12 800	9 600	7 680	6 400	38 400
35 × 35	0,122 5	17 150	11 433	8 575	6 860	5 716	34 300
35 × 40	0,140	22 400	14 933	11 200	8 960	7 466	44 800
35 × 50	0,175	35 000	23 333	17 500	14 000	11 666	70 000
40 × 40	0,160	25 000	17 066	12 800	10 240	8 533	51 200
40 × 50	0,200	40 000	26 666	20 000	16 000	13 333	80 000

Pour trouver la charge pour une portée quelconque, diviser le chiffre de la colonne « constante » par la longueur de la portée.

Pour la charge devant être supportée au milieu de la poutre, prendre la moitié de celle figurant au présent tableau.

Dans le cas de poutres à section rectangulaire, les charges s'entendent pour les poutres posées sur champ.

Annexe 11

Cordages en chanvre écru 3 et 4 torons★

Référence en m/m	Diamètre approximatif au repos en m/m	Poids du mètre en grammes		Charge minimale de rupture en kilogrammes		
		Au repos	Sous-tension de mesure	Qualité A	Qualité B	Qualité C
	3		8		86	64
	4		12		127	95
	5		20		212	160
	6		30		317	238
8	9	49	48	540	490	395
10	11	76	75	835	760	615
12	13	109	107	1 200	1 090	880
14	16	147	145	1 625	1 470	1 185
16	18	192	188	2 115	1 920	
18	20	243	238	2 675	2 430	
20	22	300	294	3 300	3 000	
22	24	363	356	3 990	3 620	
24	26	432	421	4 750	4 275	
26	28	506	491	5 515	5 000	
28	30	588	570	6 400	5 820	
30	33	675	655	7 335	6 680	

★ *Toron :* assemblage de plusieurs gros fils tordus ensemble.

Annexe 11

Cordages en chanvre écru 3 et 4 torons (suite)

Référence en m/m	Diamètre approximatif au repos en m/m	Poids du mètre en grammes		Charge minimale de rupture en kilogrammes		
		Au repos	Sous-tension de mesure	Qualité A	Qualité B	Qualité C
32	35	763	740	8 320	7 550	
36	39	959	930	10 420	9 480	
40	43	1 184	1 135	12 740	11 620	
44	48	1 420	1 365	15 195	13 915	
48	52	1 695	1 620	18 135	16 610	
52	56	1 970	1 880	20 880	18 910	
56	61	2 274	2 175	24 100	21 850	
60	65	2 592	2 470	27 250	24 650	
64	69	2 950	2 810	30 975	28 000	
68	74	3 306	3 150	34 400	31 100	
72	78	3 680	3 470	37 900	34 590	
80	86	4 544	4 250	45 850	41 750	

Ces cordages font l'objet de la norme A.F.N.O.R. G 36.002.

Bibliographie

ADAM, J.-P. : *L'Archéologie devant l'imposture*, Paris, 1975.
BADAWI, I. : *A History of Egyptian Architecture*, tome 1 : *Giza*, Giza, 1954.
BORCHARDT, L. : *Gegen die Zahlenmystik an der grossen Pyramide bei Gise*, Berlin, 1926.
COLES, J. : *Archeology by experiment* (2 tomes), New York, 1973 et 1979. *The Determination of the exact size and orientation of the great pyramids of Giza*, Le Caire, 1925.
DESROCHES-NOBLECOURT, C. : *L'Art égyptien*, Paris, 1950.
Diodore de Sicile : in coll. « La Bibliothèque historique », Paris, 1865.
EDWARDS, I.E.S. : *Les Pyramides d'Égypte*, Paris, 1967.
FAUVAL, J. J. : *Égypte*. Le Nil égyptien et soudanais du Delta à Kartoum, Paris, 1976.
GILLE, B. : *Les Mécaniciens grecs*. La naissance de la technologie, Paris, 1980.
GOYON, G. : *Le Secret des bâtisseurs des grandes pyramides*, Paris, 1977.
HÉRODOTE : *Histoires*, traduit du grec par Pierre-Henry Larcher, Paris, 1980.
JÉQUIER : *Manuel d'archéologie égyptienne*, Paris, 1924.
LAUER, J. P. : *Le Problème des pyramides d'Égypte*, Paris, 1948.
LAUER, J. P. : *Les Pyramides de Saqqarah*, Le Caire, 1972.
LEFEBVRE, G. : *Romans et contes égyptiens*, Paris, 1949.
LEPSIUS, R. : *Denkmäler aus Aegypten und Aethiopien*, 12 volumes, Berlin, 1849.

MACAULAY, D. : *Naissance d'une pyramide,* Paris, 1981.
MASPERO, G. : *L'Archéologie égyptienne,* Paris, s.d.
MENDELSSOHN, K. : *L'Énigme des pyramides,* Paris, 1974.
MICHALOWSKI : *L'Art de l'Ancienne Égypte,* Paris, 1978.
PETRIE, W.M.F. : *The Pyramids and Temples of Giseh,* Londres, 1883.
Pline l'Ancien : Histoire naturelle, traduction de Littré, Paris, s.d.
POSENER, SAUNERON, S. et YOYOTE, J. : *Dictionnaire de la civilisation égyptienne,* Paris, 1946.
SAMIVEL : *Trésors de l'Égypte,* Paris, 1954.
SAUNERON, S. : *L'Égypte,* Paris, 1980.
VANDIER : *Manuel d'archéologie,* Paris, 1958.
VERCOUTER, J. : *Mirgissa* II, Lille, 1970.
VITRUVE : *Les dix livres d'architecture, corrigés et traduits en 1884 par Claude Perrault,* Bruxelles.
WOLDERING : *Égypte,* l'art des pharaons, Paris, 1963.

Périodiques

Les Dossiers de l'archéologie, n° 46, sept.-oct. 1980 : « Revivre la Préhistoire » ; n° 61, mars 1982 : « L'Égypte grandiose. »
Historia, n° 6 : « Comment furent construites les pyramides », par J. P. Lauer.
Passeports de l'Art, n° 1 : *La Vallée des Rois,* 1981 ; n° 15 : Karnak et Louxor, 1983.
Préhistoire et archéologie, n° 10, sept. 1979 ; n° 21, juin 1980 ; n° 24 : nov. 1980 ; n° 31 : juin 1981.

Documentation technique

Normes fournies par :
Société Nouvelle la Corderie moderne, 2, Allée de Billancourt, 92130 Issy-les-Moulineaux.
Corderie d'Or, 39, rue des Vertus, Marseille

Papyrus

PAPYRUS WESTCAR

Traduction de ces textes dans *Romans et contes égyptiens,* G. Lefebvre, Éditions Maisonneuve, Paris, 1949.
Extraits in l'*Égypte,* Fribourg, 1964.

PAPYRUS ANASTASI

ANASTASI I : A. M. Gardiner — *Egyptian Hieratic Texts Series I* Library Texts of the News Kington — The Papyrus Anastasi I, Leipzig, 1911 (Traduction anglaise).
ANASTASI II à IV : R. A. Caminos, *Late Egyptian Miscellanics,* Brown Egyptological Studies I, Londres, 1954 (Traduction anglaise).
Traduction française publiée dans l'*Égypte,* Éditeur Office de Fribourg, 1964.
Cet ouvrage donne les extraits suivants :
« Chaque campagne ne dure d'ailleurs que quelques mois. Le reste du temps, l'armée est libre pour d'autres tâches. C'est elle qui fournit l'essentiel de la main-d'œuvre pour le transport des pierres entre les carrières et les chantiers, surtout pour la manipulation des énormes blocs : statues colossales, obélisques. Voici par exemple la composition

d'une expédition qui est allée chercher des blocs de grès aux carrières de Silsileh pour le temple de Médinet-Habou en l'an 5 de Ramsès II : « Soldats : 2 000 ; tailleurs de pierre : 500 ; péniches : 40 ; (autres) bateaux : 4 ; (marins ?) : 500 ; total : 3 000 hommes. » L'armée travaillait aussi sur les chantiers eux-mêmes. Ses chefs et administrateurs devaient avoir des connaissances précises des techniques de construction ; *on leur demande par exemple de pouvoir : déterminer le nombre de briques nécessaires pour « une rampe de 365 mètres de long, 28 de large, constituée de 120 compartiments (?) pleins de roseaux et de poutres (...), haute de 30 mètres en son sommet* ». Amenhotep, fils de Hapou, vénéré plus tard comme un dieu, et qui érigea probablement les colosses de Memnon, était chef de l'administration de l'armée d'Aménophis III. Certains corps de troupes semblent même être uniquement consacrés aux travaux publics. »

Table des illustrations

Table des matières

Achevé d'imprimer en octobre 1985
sur presse CAMERON,
dans les ateliers de la S.E.P.C.
à Saint-Amand-Montrond (Cher)

— N° d'édit. 2614. — N° d'imp. 2369-1498. —
Dépôt légal : novembre 1985.

Imprimé en France